KB085705

跆拳道教本

4

实战

第四卷
实战

第一章
实战的理解

第二章
护身实战的练习

第三章
竞技实战的练习

1 实战的理解

实战的概念

1 实战的意义

跆拳道不仅是一种用于身心锻炼和护身的武术形式，同时作为一项体育项目已经在世界范围内广泛传播。具体而言，跆拳道实战指利用跆拳道的攻防技术与对手较量。它是跆拳道的一项核心技术，有助于运动员的身心发展，也是广为人知的奥运会正式项目。实战充分体现了跆拳道的特征。它要求运动员通过快速的身体动作和有力的踢腿来对抗对手。正因为如此，它也被称为 “跆拳道之花” 或 “跆拳道之白眉”。一般来说，它被认为是一项格斗运动，需要运动员穿着防护装备互相战斗。然而，作为跆拳道的重要组成部分，实战除了用于与对手较量，还有其他方面的多种用途。

实战一词是 “较量” 一词的名词型，意为 “相互坚持，并进行力气的较量”，是指利用手和脚攻击对方或对对手的攻击进行防御以及反击，另外，在词典中实战解释为 “两人互相比较技术，与 ‘对抗’ 一词意思相似” “实战” 不仅指相关练习，也指人们在实际战斗中为保护自己、制服对手或应对对手挥舞武器的威胁而采取的行动。也就是说，这个术语意味着基于跆拳道技术的相互较量以取得优势的练习，也意味着一种训练方式，让人们获得并使用实际攻击和防御技能，进而更好地应对各种危险情况。综上所述，在跆拳道中，实战一词意指一种训练体系，使人们能够进行技能上的较量，或在危险的情况下使用跆拳道技术，如步法、格挡、躲避、击打和踢击，实际保护自己或制服对手，且涉及到 “人对人” 或 “人对武器” 两大类对抗形式。

2 __ 实战的定义

谈到跆拳道实战，人们可能会倾向于将其与竞技实战联系起来，竞技实战已被纳入奥运会的正式项目。然而事实上，跆拳道实战可以根据训练目的和方法分为多种类型。换句话说，跆拳道实战根据跆拳道修炼者的目标和其参加的实战训练类型分为护身实战（配合/特殊）和竞技实战。因此，我们不仅要通过分析来确定实战的一般定义，还要分析确定不同实战类型的具体定义。

其中护身实战是指人们在实际战斗中用来保护自己或制服对手的一种护身技术。具体来说，配合实战是指一种特定的训练方法。人们使用这种方法开展训练的过程中，事先已知道对手可能采取的攻击类型，只需根据情况保护自己并给予对手反击。特殊实战是指一种用于制服一个挥舞着武器的对手并消除威胁的护身技术。竞技实战是指一项体育项目。运动员需根据既定的比赛规则，运用攻防技能争夺胜利。简而言之，实战是一种训练方法，让人们通过使用跆拳道的攻击和防御技术来与对手进行较量，保护自己或消除对手构成的威胁。

实战的原理

实战会产生不同的结果，具体取决于特定情形和与对手对抗时使用的战斗方法。也就是说，胜败或能否解除风险取决于人们根据情况做出的决定及采取的行动。因此，跆拳道修炼者应该了解实战的基本原理，在实战情形中取得有利的地位。

1 __ 距离-时机

在面对面的实战中，两个人之间通常会有一定的距离。如果你能够立即创造对你有利的距离，就能更好地抓住机会。相反，如果让对手占据有利的距离，你就会处于不利的位置。为此，跆拳道修炼者需要培养相应的技术能力，以能够在实战中保持有利的距离。

在实战比赛中，距离不仅仅是指两人之间的空间距离。在这里，距离是一个涉及空间和时间的复合概念。举例来说，近距离的目标适合用手进行攻击，而较远的目标可以用腿进行攻击。但即使你能根据距离选择使用手或腿，攻击也不一定会成功。

转移到第二步为了控制与对手的距离，并利用攻击或防御的时机，需要灵活运用各种步法技术。步法是指在实战中使用的各种脚步动作，它们可以控制与对手的距离，并创造攻击或防御的机会。通过巧妙运用步法，你可以让对手难以发动攻击，干扰对手的攻击，并通过假动作削弱对手，最终在合适的时机获得攻击或反击的机会。

2 __ 气势-实行

气势是一个抽象的概念, 很难用直观的方式展示出来。之所以要强调精神的重要性, 是因为一个人的精气神也可以影响对手, 在改变实战局势方面, 它和距离-时机的因素同样重要。换句话说, 距离和时机的概念从技术角度影响着胜负, 而精神则通过改变实战的过程来最终影响整个战局。因此, 在实战之前, 精神上的对决也非常重要。

精神可以通过呐喊、姿势、表情和行为来表现, 需要攻击和防御过程中的自信来予以支撑。特别是在实战比赛中, 大声呐喊和自信的外表可以在心理上恐吓对手, 对比赛结果有着显著的影响。因此, 在每天的不断训练过程中, 跆拳道修炼者应该注意提高内在精神的力量, 增强在必要时立即展现出气势的能力。

做是指将想法或计划付诸实际行动的状态。在实战中, 做可体现出跆拳道修炼者的内在的心理状态, 而心理状态会影响修炼者在实战比赛中使用攻击或防御技术的表现。例如, 如果在实战比赛中, 修炼者在做攻击或防御技术时犹豫、停顿或卡壳, 就很难达到理想的结果。要成功地做实战技能, 修炼者应了解几个重要的心理素质: "不要犹豫"、"不要停顿"、"不要固执" 。

第一, "不要犹豫", 意味着修炼者应该自信地做出决定和实施攻击和防御技术。在实战中, 由于众多复杂因素的存在, 修炼者经常在应该攻击还是反击的问题上犹豫不决。此外, 由于情况不断变化, 确定最佳的攻击或防御技术并非易事。不过, 在技术的展示或局势的掌控上出现任何这样的犹豫, 都可能被对手抓住机会。因此, 强调 "不要犹豫" 这个心理素质, 是要让修炼者了解犹豫会如何影响实战比赛的结果。当然, 这并不意味着跆拳道修炼者必须总是表现得非常果断, 以避免显得犹豫不决。相反, 它只是指修炼者如果能够毫不迟疑地使用攻击和防御技术来克服困难, 避免因犹豫而导致最糟糕的后果, 就能够在实战比赛中占据有利的位置。

第二, "不要停顿", 意味着跆拳道修炼者在完成一次攻击或防御后不应停下来。在某些实战情况下, 也许只需要进行一次攻击或防御动作。然而, 大多数情况下, 修炼者在攻击对手后, 对手会立即反击。换句话说, 如果修炼者在进行一次攻击后就毫无准备地停顿下来, 将给对手提供反击的机会。攻击动作会迫使对手进行防御, 并可能使对手失去平衡。为了避免一次性攻击后遭到对手反击的风险, 跆拳道修炼者可以通过连续攻击对手来取得最佳结果。即使最初的攻击未能成功, 连续攻击仍会使对手在防御过程中难以恢复平衡。此外, 如果修炼者只是以防御对手的攻击或威胁为目的而采取相应的行动和态度, 就无法创造扭转局面的机会。因此, 如果我们说 "攻击是最好的防御方式", 修炼者应该在防卫或避开对手威胁后, 根据情况积极地采用适当的攻击技术进行反击。

第三，“不要固执”，意味着跆拳道修炼者应该灵活地应对情况，而不要过于执着于最初的想法。在实战比赛中，无论使用何种攻击和防御技术，都需要预判对手的反应和行动。然而，事实并不总是如我们预期。举个例子，假设一名修炼者预判对手在遭到横踢攻击后会后退，所以计划使用连续的腿部技术来进攻，比如旋风踢。尽管如此，如果对手不像修炼者预判的那样后退，而是向前移动，那么更好的攻击方法是冲拳，而不是原本设想的连续踢击。当然，如果情况如预判的那样发展，修炼者可以成功地完成最初计划的腿部技术，并可能会给对手造成比攻击性技术更大的伤害。然而，如果实际情况与预期不符，最好的做法是灵活应对。此时，如果执意做最初的计划，可能会遭受严重的失败。

3 __ 均衡-分析

均衡指的是“没有倾向或偏向某一方的均衡状态。”然而，就实战而言，均衡还意味着基于对手的技能水平来展现自己的基本技能，或者通过有效地运用身体各个部位来展示力量的状态。例如，当跆拳道修炼者在身体重心偏高或偏低的情况下攻击对手时，就会由于攻击力太弱而无法伤害对手，甚至可能被反击。特别是，如果修炼者在实战比赛中只关注自己的动作和形式，而忽视了均衡的重要性，例如基本技术的运用、身体各部分的协调和力量的传递，即使攻击成功命中对手，也可能无法有效地制服对手或得分。因此，跆拳道修炼应该在训练中关注自身的均衡状态，判断自己是否掌握特定的攻防技术时，以是否能够在实际实战比赛中实现它们的有效均衡为依据。

分析指的是“理顺错综复杂的事物并将其分解成单个元素或属性的过程。”然而，就实战而言，分析主要指跆拳道修炼者的判断技能，即能否根据对手的特征（例如体格、技术、特点和技能）识别对手的优势和劣势，并在实战比赛中做出相应的逻辑反应，以获取胜利或克服威胁。特别是在两人对战的竞技实战中，如果跆拳道修炼者没有对首次遇到的对手技术进行分析，并从经验丰富的跆拳道运动员那里吸取经验，通常很难表现出良好的运动能力，最终可能会失败。因此，为了在实战比赛中取得胜利，我们应该进行系统而科学的数据分析，了解对手及其战略的优势和劣势。跆拳道修炼者可以根据这些分析结果思考如何与对手进行战斗。

3 实战的类型

1 护身实战

护身实战这个概念允许跆拳道修炼者在实际战斗中不受限制地运用跆拳道技术，以保护自己和他人，并化解面临的威胁。这种实战体系是跆拳道成为一项体育运动之前存在的原始形式。它类似于人们自由运用拳脚进行实际战斗的方式。随着现代武术的发展，护身实战技术也得到了进一步的发展，成功地融合了其他武术形式的优势。正因为如此，护身实战可以看作是融合了原始和现代跆拳道实战优点的技术体系。

护身实战不是为了提前攻击对手或伤害别人。它并不是为了提前攻击对手或伤害他人，而是代表了跆拳道作为一种武术形式的精髓。在运用跆拳道的基本动作时，修炼者应该始终先进行下格挡，做好防御，然后再进行反击。因此，跆拳道强调在防御对方攻击后进行反击的理念，而不是事先主动攻击对手。因此，"护身实战"这个概念也代表了跆拳道的哲学和精髓。

(1) 配合实战

配合实战是一种训练方法，允许跆拳道修炼者预知各种暴力攻击情况，并使用跆拳道技术做出相应的反应。在这种形式中，跆拳道修炼者学习如何在实际的战斗情况下保护自己，如来自强盗、歹徒和性骚扰者的攻击。因此，跆拳道修炼者应立誓通过防御、反击和避免对手的攻击来发展自身能力，进而更好地应对实际的战斗情形。

配合实战类似于护身术，都要求跆拳道修炼者保护自己免受攻击并控制对手的暴力行为，面对并回应对其发动攻击的对手。然而需要注意的是，跆拳道修炼者应该明白，配合实战只用于教育目的，除非是因为自卫而不可避免的情况，否则不得实际使用护身术。

传统的配合实战分为三次实战和一次实战，由已充分掌握基本动作的彩色带持有者或黑带持有者参加。在这些实战模式中，攻击者和防御者应根据双方的喊声准确而快速地完成动作。仅用于实战的配合实战又可以分为多种模式。配合实战可有效地用于训练阶段，让跆拳道修炼者学习使用反击踢、冲拳和击打等技术来回应对手的方法。

近年来，跆拳道修炼者一直在学习基本的实战技术，如轮流踢击、反击踢、后手冲拳，并根据实战比赛规则穿戴防护装备。换句话说，目前的配合实战的特征在于基于轮流或同时做的技术的直接攻击。防护装备可以根据护身实战的需要来选择。穿戴好防护装备的跆拳道修炼者可以使用各种手和腿部技术练习配合实战。如果没有穿戴防护装备，也可以简单地穿上跆拳道道服，通过控制攻防力量进行训练。

(2) 特殊实战

特殊实战使跆拳道修炼者能够学习基于跆拳道手和腿技术的实用防御技能。运用它们可攻击对手的要害或制服对手, 以应对使用武器的威胁或使用武器（如刀、木棍和手枪）的实际攻击。然而, 实际情形中我们很难快速分析对手使用武器会如何攻击并预判这种情况的发展。换句话说, 我们难以预判对手何时、何地以及以何种方式发动攻击。因此, 跆拳道修炼者应该培养自己根据情况灵活反应的能力, 而不是追求标准的反应动作。因此, 特殊实战训练的重点应该是提高跆拳道修炼者的能力, 使其能够在关键时刻运用自身能力来化解对手的攻击, 并迅速使用防御动作, 如躲避、格挡和假动作, 逃离危险的情况。

2 __ 竞技实战

跆拳道实战一般指竞技实战。它是跆拳道的一个代表性元素, 其与护身和武术相关的特点在跆拳道比赛中不断得到反映、更新和发展, 以应对时代的需要。特别是跆拳道运动员在攻防过程中运用的精彩有力的腿部技术, 增加了实战比赛的观赏性。这些核心的跆拳道技术在其他格斗运动中并不明显。

与实际的配合实战或特殊实战不同, 竞技实战是一种一对一的运动。跆拳道运动员根据事先制定的比赛规则允许的技术, 通过自由攻击和防御规定的身体部位（躯干、头部）来争夺胜利。这项运动禁止使用危险的跆拳道技术, 如攻击头部的手部技术, 攻击腿部的腿部技术, 以及摔跤或擒拿的动作。此外, 竞技实战运动员应该穿戴防护装备, 以避免受伤。

根据世界跆拳道（WT）制定的规则, 竞技实战分为多个个人和团体运动类别, 例如在世界跆拳道锦标赛中。这些比赛最近采用了电子防护设备和判定系统, 大幅提高了裁判的公平性。特别是, 竞技实战作为一种运动近年来稳步发展。从2000年悉尼奥运会开始, 它首次被选为国际奥林匹克委员会组织的正式比赛项目。将竞技实战指定为正式比赛有助于跆拳道在全世界的传播。

2 护身实战的练习

1 护身准备

护身实战是一种攻击和防御的技术体系，旨在帮助人们应对现实生活中可能遭遇的暴力情况。这个技术体系用于格挡对手的攻击，做出反击并制服对手。护身实战使用跆拳道中的多种手和腿部技术来提高效率。例如，跆拳道修炼者会运用不同技术的组合，如冲拳、踢击以及使用臂肘和膝盖进行击打。

护身准备姿势

•这种基本姿势使跆拳道修炼者能够在近距离接触对手的实际情况下自由练习并使用各种有效的技术。

<如何练习>

•双脚并排，间隔一脚宽，轻轻握紧拳头。将手臂举到肩膀的高度。
•为了自然地保持这个姿势，保持肘部向下，放松肩部和手臂肌肉。
•以该姿势为基础，其中一只脚后退一步，即成实战姿势。

2 基本技术

1__ 格挡

上段格挡

- 这个技术适用于对手向下攻击颈部或面部的情况。

<如何练习>

- 保持护身准备姿势, 将非格挡手臂方向的肩膀向后拉。同时, 旋转躯干, 旋转格挡手臂的手腕, 抬起格挡手臂, 就像以45度向上击打那样进行防御。
- 拉动非格挡手去保护下巴, 并在上述动作后迅速回到护身准备姿势。
- 主要使用外手腕、锤拳或手刀来防御攻击。

<注>

- 进行上述动作前, 无需做放下手臂的准备动作。
- 确保格挡手臂不要超出面部的外廓线。
- 旋转手腕向上45度防御。
- 举起的手臂不要挡住脸或视线。

外格挡

- 这个技术适用于格挡对手从外部发动的攻击。

<如何练习>

- 保持护身准备姿势, 将非格挡手臂方向的肩膀向后拉。同时, 旋转躯干, 就像向外击打一样进行格挡。
- 拉动非格挡手去保护下巴, 并在上述动作后迅速回到护身准备姿势。
- 主要使用外手腕、锤拳或手刀来防御攻击。

<注>

- 进行上述动作前, 无需做交叉手臂的准备动作。
- 确保臂肘不要超出躯体的外廓线。
- 向外移动手臂, 就像击打一样进行防御。

下段格挡

• 这个技术适用于防御来自下方的攻击。

<如何练习>

• 保持护身准备姿势, 将非格挡手臂方向的肩膀向后拉。同时, 旋转躯干, 以短距离向下移动格挡手来有力地格挡攻击。
• 拉动另一只手去保护下巴, 并在上述动作后迅速回到护身准备姿势。
• 当对手攻击你的肚子、下体或侧面时, 就像击打一样向下移动手腕来保护自己。主要使用外手腕、锤拳或手刀来防御这种攻击。

<注>

• 确保手腕或手刀不要超出躯体的外廓线。
• 就像击打一样向下移动手腕来防御攻击。
• 在防御动作后, 迅速弯曲格挡手臂, 回到最初的姿势。

内格挡

• 这个技术适用于格挡对手的内击打攻击。

<如何练习>

• 保持护身准备姿势, 将非格挡手臂方向的肩膀向后拉。同时, 旋转躯干, 使用外手腕、手刀或掌根防御攻击。
• 拉动另一只手去保护下巴, 并在上述动作后迅速回到护身准备姿势。
• 根据不同的情况, 可以在手里拿着智能手机、钥匙链或笔等工具, 通过内格挡来制服对手。

<注>

• 进行上述动作前, 无需做张开手臂的准备动作。
• 在护身准备姿势中, 注意避免过度弯曲或伸展手臂。

用于实战的格挡技术

上段格挡

外格挡

下段格挡

内格挡

2＿ 冲拳

冲拳

•这个技术是用拳头对对手进行正面攻击。

<如何练习>
•保持护身准备姿势，向前伸出拳头进行击打。
•同时，拉动另一只手去保护下巴，并在上述动作后迅速回到护身准备姿势。

<注>
•微微低头以保护下巴。
•将后手拉到下巴的一侧，用躯干的旋转力向前冲拳。出拳后，利用经拉伸肌肉的惯性迅速回到护身准备姿势。
•注意防止拳头的轨迹过度超出身体的外廓线。
•出拳前，先旋转拳头，之后立即出拳。

横冲拳

•这个技术是用来在旋转躯干的同时改变拳头的方向。

<如何练习>
•保持护身准备姿势，出拳并转动躯干。
•拉动另一只手去保护下巴，并在上述动作后迅速回到护身准备姿势。

<注>
•注意防止臂肘超出身体的外廓线，避免在这种情况下做横冲拳。
•微微低头，内收下巴，臂肘抬高至脸的高度，用肩膀防御对手的攻击。
•抬起与伸出拳头同侧脚的脚后跟，转动以支撑背部的旋转。
•冲拳后，利用惯性迅速回到护身准备姿势。

上冲拳

•这个技术通过向上举起拳头来攻击对手。

<如何练习>

•保持护身准备姿势, 自底部向顶部举起拳头出击。此时, 旋转骨盆并转动躯干, 以更有力地攻击对手。
•拉动另一只手去保护下巴, 并在上述动作后迅速回到护身准备姿势。

<注>

•抬起与伸出拳头同侧脚的脚后跟, 向外转动以支撑背部的旋转。
•微微低头, 收下巴, 用出拳侧的肩膀防御对手的攻击。
•冲拳后, 利用惯性迅速回到护身准备姿势。
•注意防止你的拳头超出你的身体的外廓线太多, 因为这样的话会扰乱与下一个动作的连接。
•为了同时进行防御和攻击, 将待冲出拳头的臂肘放下, 就像在防御对躯干的攻击一样, 然后瞬间向上击打。

立冲拳

•这个技术是用保持竖直的拳头对对手进行正面攻击。

<如何练习>

•保持护身准备姿势, 向前出拳攻击对手, 期间保持拳头的直立状态。
•同时, 拉动另一只手去保护下巴, 或使用掌根做中格挡, 并在上述动作后迅速回到护身准备姿势。

<注>

•微微低头以保护下巴。
•迅速将后手拉到下巴的一侧, 利用掌根中格挡的反作用力, 做灵活的冲拳, 并防止拳头伸展过度。出拳后, 利用经拉伸肌肉的惯性迅速回到护身准备姿势。

斜冲拳

• 这个高难度技术是用保持竖直的拳头对对手进行正面攻击。具体来说，当对手用冲拳攻击你时，你应该扭动手臂，用外手腕进行防御，并同时出拳。

<如何练习>

• 保持护身准备姿势，扭动手臂，直到伸出的锤拳呈竖直状态，以外手腕击打对手伸出的手臂，或通过穿透对手的侧面来攻击对手。
• 此时，大幅转动躯干，更深入地攻击对手。
• 拉动另一只手去保护下巴，并在冲拳后迅速回到护身准备姿势。

<注>

• 转动拳头，使肩膀与下巴接触，以防御对手的攻击。
• 将后手拉到下巴的一侧，用躯干的旋转力向前冲拳。冲拳后，利用惯性迅速回到护身准备姿势。
• 不要把臂肘抬得太高。

用于实战的冲拳技术

冲拳　横冲拳　上冲拳

立冲拳　斜冲拳

3 __ 击打

锤拳下击打

• 这个技术用于用锤拳向下击打。

<如何练习>

• 保持护身准备姿势，将锤拳举到头部的高度，向下击打，至下巴的高度停止。
• 同时，拉动另一只手去保护下巴，并在上述动作后迅速回到护身准备姿势。
• 根据臂关节的角度调整击打距离。
• 根据具体情况，你可以用锤拳抓住工具向下击打对手，比如智能手机、钥匙圈或笔。

<注>

• 微微低头，内收下巴，伸展手臂侧的肩膀与下巴接触，以防御对手的攻击。
• 用锤拳呈弧线形向下击打。当你靠近对手时，直击前方。
• 击打后，利用惯性迅速回到护身准备姿势。
• 使用该技术时，应注意避免动作幅度过大。

锤拳外击打

• 这个技术用于用锤拳向外击打。

<如何练习>

• 保持护身准备姿势，用锤拳击打对手。
• 通过旋转骨盆来转动躯干，以有力地击打对手，同时拉回另一只手以保护下巴。在上述动作后迅速回到护身准备姿势。
• 根据具体情况，你可以用锤拳抓住工具向内击打对手，比如智能手机、钥匙圈或笔。

<注>

• 微微低头，内收下巴，伸展手臂侧的肩膀与下巴接触，以防御对手的攻击。
• 击打后利用惯性迅速回到护身准备姿势。
• 当你靠近对手时，可给予对手下巴内侧一记短拳后击。
• 确保你的拳头不要超出自己躯体的外廓线。

拳根击打

• 这个技术用于用掌根击打对手的下巴。

<如何练习>

• 保持护身准备姿势, 用掌根做正面击打。
• 拉回另一只手保护下巴, 用躯干的转动力击打对手。之后, 迅速回到护身准备姿势。
• 这种类型的击打经常是直线攻击, 你可以根据情况向上或向下击打。

<注>

• 微微低头, 内收下巴, 伸展手臂侧的肩膀与下巴接触, 以防御对手的攻击。
• 击打后利用惯性迅速回到护身准备姿势。
• 在做这个动作时, 确保你的手不要超出身体的外廓线太多。

虎口击打

• 这个技术用于用虎口击打对手脖子。

<如何练习>

• 保持护身准备姿势, 用虎口做直线击打。
• 此时, 拉回另一只手保护下巴, 转动躯干使用转动力。在上述动作后迅速回到护身准备姿势。

<注>

• 微微低头, 内收下巴, 伸展手臂侧的肩膀与下巴接触, 以防御对手的攻击。
• 击打后利用惯性迅速回到护身准备姿势。
• 扭动手腕, 使指尖朝外, 防止手指受伤。

臂肘掌心击打

• 这个技术用于用手掌拉对手的同时使用臂肘进行攻击。

<如何练习>

• 保持护身准备姿势，用一只手勾住或固定住对手的身体。随后，将对手拉到你的身边，用你的臂肘击打对手。
• 此时，转动躯干，迅速拉动手，以有力地击打对手。在上述动作后迅速回到护身准备姿势。

<注>

• 抬起与击打手臂同侧的脚后跟，向外转动以支撑背部的旋转。
• 把对手拉到你身边进行击打。

膝盖击打

• 这个技术用于用膝盖击打对手。

<如何练习>

• 保持护身准备姿势，抬起膝盖，根据目标点调整膝盖角度，用膝盖击打对手。
• 给予对手的面部、肚子、胸部或侧面有力的打击，或者攻击其下半身，使其失去平衡。
• 根据具体情况，你可以进行上击打、横击打、内击打、外击打、下击打或前击打。在击打过程中，可以拉动对手，也可以不拉动直接击打。

<注>

• 根据情况选择击打区域。
• 向内推你的腰部和骨盆，以有力地击打对手。

用于实战的击打技术

锤拳下击打　锤拳外击打　掌根击打

虎口击打　臂肘掌心击打　膝盖击打

※ 用于冲拳和击打训练的技术

4 __ 踢

前踢

- 这个技术用于通过向身体方向抬起膝盖做前踢击打对手，过程中涉及腿的弯曲和伸直。

<如何练习>

- 当你抬起膝盖时，弯曲你的腿并迅速伸直来踢击对手。
- 根据具体情况，可使用前脚掌、脚背、脚后跟、或小腿来踢击。你也可以双腿并拢来踢击对手。
- 你可以踢击对手腿的任何部位，包括脚踝。

<注>

- 通过尽量减少准备动作来做前踢，以防止对手识破你的意图。
- 专注于你的踢腿，因为瞄准对手膝盖上部的踢腿很可能打不到目标。

横踢

- 这个技术是用腿部伸直的力量击打对手。用你的支撑腿作为轴线，弯曲和伸直腿的过程中利用骨盆的角向力。

<如何练习>

- 以支撑身体的脚后脚掌为支点，抬起踢腿的膝盖。用你的前脚掌、脚背、或小腿，同时利用身体的转动力和伸直膝盖的力来踢击目标。
- 你可以踢击对手腿的内侧和外侧。

<注>

- 当你做横踢时，你应该保持对对手拳头打击的防御动作。

侧身斜外踢

• 这个技术用于避免对手的攻击和反击或通过欺骗对手来多次踢击。

<如何练习>

• 向身体方向弯曲膝盖，向上抬起。随后，向外扭转膝盖，用脚背踢击对手。
• 这种踢腿主要是用脚背进行的。然而，你也可以用你的前脚掌来踢腿。这个技术适宜用于避开对手的攻击、扭转对手或靠近对手的情况下进行踢击。
• 使用这个技术，你可以欺骗对手，因为它看起来好像你要做另一种类型的踢腿。将这种踢腿与扭转踢腿连接起来，可以攻击对手的弱点。

<注>

• 你应该有弹性的转动骨盆，并调整膝盖的方向。

推踢

• 这个技术是用来推和踢对手，以击倒对手或保持你与对手的距离。跆拳道修炼者使用这个技术主要是为了在与对手靠近时控制与对手的距离。然而，推踢也可用于一些相互距离较远的情况，关键是仍在这种踢击的有效范围内。

<如何练习>

• 使用整个脚掌推踢对手。
• 当你离对手较远时，你可以跳向对手的方向，给予对手推踢。

<注>

• 适当地利用腰部的反作用力来进行推踢。移动身体的重心，将身体重量放在脚掌的宽阔区域上。

侧踢

• 这个技术是用腿的弯曲和伸直以及扭转身体所产生的力量来踢击对手。

<如何练习>

• 侧踢时使用的力量包括身体的转动力, 由向前移动身体的重心产生, 腿的伸展所产生的力量以及你自身的重量。
• 你可以抬起膝盖, 立即踢击你旁边的对手。

<注>

• 在不移动支撑腿的情况下转动骨盆来踢腿。

用于实战的踢击技术

前踢

横踢

侧身斜外踢

推踢

侧踢

5 __ 抽手

这个技术使你能够拉开被对手抓住的身体部位。具体来说，它分为下抽、上抽、扭抽和转抽。

下抽

- 当你的手腕或手臂被对手抓住时，你可以使用这个技术向前或向后一步，就像被抓的身体部位被向下击打一样抽出。

<如何练习>

- 重心向前，向前或向后一步，瞬间扭转对方身体方向被抓住的手腕，放下用力抽出。
- 将另一只手放在脸的一侧来保护自己，同时为接下来的攻击做好准备。
- 你可以通过以下动作更容易地抽出手腕：比如踢对手的腿，让对手偏离身体重心。你还可以通过调整步法方向来做各种类型的连接动作。
- 此外，这个技术不仅适用于一只手腕被抓的情况，在两只手腕都被抓住时也能使用。

<注>

- 向前迈一步，同时快速抽出手腕。
- 不做做准备动作，如手腕用力或抬起手臂，以防止对手识破你的意图。
- 当你迈出一步时，通过扭转被抓的手来推动对手，或者拇指向上来拉动对手。通过这些动作，你可以破坏对手的平衡，进而挣脱被抓的手。

上抽

•当你的手腕或手臂被对手抓住时, 你可以使用这个技术抬起臂肘, 就像向上击打一样抽出手腕或手臂。

<如何练习>

•向前或向后一步, 抬起后脚的脚后跟, 用力抬起臂肘, 就像向上击打一样抽出被困的身体部位。
•将另一只手放在脸的一侧来保护自己, 同时为接下来的攻击做好准备。
•你可以通过以下动作更容易地抽出被困的身体部位: 比如推对手的肩膀或踢击对手的下半身让对手失去平衡。这个技术也可用于两只手腕都被对手抓住的情况。

<注>

•迈步和抽出被困身体部位的动作应同时进行。
•当你迈出一步时, 将你被困手的拇指向上, 推或拉动对手, 使对手偏离身体重心, 然后抽出你被困的身体部位。

扭抽
(向内)

•当你的手腕或手臂被对手抓住时, 你可以使用这个技术, 通过向前或向后迈出一步, 并向你身体的方向扭转抓住的内手腕, 来抽出被困的身体部位。

<如何练习>

•重心向前, 向前或向后迈一步, 将与身体成45度角的被抓手腕抽出。
•抬起另一只至躯干的高度来保护自己, 同时为接下来的攻击做好准备。
•你可以通过以下动作更容易地抽出被抓手腕: 比如踢对手的下半身让对手偏离身体重心。你还可以通过调整步法方向来做各种类型的连接动作。
•当你的外手腕、内手腕或两个手腕都被抓住时, 你都可以运用这个技术。

<注>

•迈步和抽出被困身体部位的动作应同时进行。
•当你迈出一步时, 将你被困手的拇指向上, 推或拉动对手, 使对手偏离身体重心, 然后抽出你被困的身体部位。
•不能做准备动作, 以防止对手识破你的意图。

扭抽
(向外)

• 当你的手腕或手臂被对手抓住时, 你可以使用这个技术向前或向后一步, 就像将自己的身体与被困身体部位一起向外冲出去一下抽出被困的身体部位。

<如何练习>

• 向前或向后一步, 就像将自己的身体与被困身体部位一起向外沿身体对角线方向冲出去一样抽出被困的手。
• 抬起另一只至躯干的高度来保护自己, 同时为接下来的攻击做好准备。
• 你可以通过以下动作更容易地抽出被抓手腕: 用肩膀或手推开对手, 使对手偏离身体重心这个技术也可用于两只手腕都被抓住的情况。

<注>

• 迈步和抽出被困身体部位的动作应同时进行。
• 当你迈出一步时, 将你被困手的拇指向上, 推或拉动对手, 使对手偏离身体重心, 然后抽出你被困的身体部位。

转抽
(向上)

• 当你的手腕或手臂被对手抓住时, 你可以使用这个技术向前或向后一步, 向上转动被困的身体部位以将其抽出。

<如何练习>

• 向前或向后一步, 使对手偏离身体重心。向上转动并推动或降低你被困的身体部位, 进而将其抽出。
• 将另一只手放在脸的一侧来保护自己, 同时为接下来的攻击做好准备。
• 你可以通过以下动作更容易地抽出被抓手腕: 比如推或踢击对手让对手偏离身体重心。你也可以通过调整对手抓住和扭转手的方向以及你抽出被困身体部位的方向来进行各种类型的连接动作。

<注>

• 当你向前迈步时, 用你的手刀推对手, 抽出被困的身体部位。
• 当你向后迈步时, 用你的手刀向下击打对手, 抽出被困的身体部位。
• 当你迈出一步时, 将你被困手的拇指向上, 推或拉动对手, 使对手偏离身体重心, 然后抽出你被困的身体部位。

转抽
(向下)

- 当你的手腕或手臂被对手抓住时, 你可以使用这个技术向前或向后一步, 向下转动被困的身体部位以将其抽出。

<如何练习>

- 向前或向后一步, 向下转动被困的手腕, 然后将其抽出。随后, 用你的虎口推对手的手腕。
- 将另一只手放在脸的一侧来保护自己, 同时为接下来的攻击做好准备。
- 当你的两个手腕都被抓住时, 后退一步。随后, 用力推你的前方的手, 同时自然而轻柔地拉回你后方的手。转动两个手腕并将其抽出。

<注>

- 当你向前迈步时, 将你的虎口贴在对手的大腿上, 拉开你被困的身体部位。
- 当你后退一步时, 用你的虎口将对手的手腕推向对手身体的内侧。
- 当你迈出一步时, 将你被困手的拇指向上, 推或拉动对手, 使对手偏离身体重心, 然后抽出你被困的身体部位。

6 __ 关节技

这个技术使你能够利用杠杆原理或扭转对手相应的身体部位来锁定对手的关节。将跆拳道的格挡技术和擒拿技术作比较可以发现前者的原理在多个方面可应用于后者。由于擒拿技术需要扭转关节，跆拳道修炼者应该当心关节或周围韧带相关的损伤。

拧擒
(向外)

• 这个技术适用于由内向外扭转对手的手臂。

<如何练习>

• 抓住对手手腕下部，以拇指接触对手的手背。随后，根据对手身体的位置，将对手的手腕由内向向外向上转动。推动对手的手背以扭转并锁定对手的手腕。
• 同时，用另一只手抓住并推动对手的手。为了更有力地扭转和锁定对手的手腕，用掌根推动对手的手。
• 当你的手腕或手臂被对手抓住时，你可以使用这个技术。

<注>

• 为了调整对方手的方向，最先抓住的位置要靠近固定的手臂关节。

拧擒
(向内)

• 这个技术用于扭转和锁定对手的手臂。

<如何练习>

• 以交叉的姿势抓住对手的手背, 使你的拇指指向对手的手刀背。根据对手身体的位置, 将对手的手背由外向内转动, 扭转并锁定相应的部位。
• 此时, 用另一只手抓住对手的臂肘, 以更用力地扭转并锁定对手的手臂。
• 连续结合使用向外拧擒会更有效果。
• 这个技术也可用于你的手腕或手臂被抓住的情况。

<注>

• 为了调整对手手的方向, 将首先被抓住的手靠近要固定的手臂关节。

按擒

• 这个技术用于垂直推动和锁定对手的关节。

<如何练习>

• 当你抓住对手的手腕时, 用另一只手同时推动和锁定对手的上臂肘。
• 你可以根据情况推动和锁定身体的多个部位。
• 当你的手腕或手臂被对手抓住时, 你可以使用这个技术。

<注>

• 斜摁对手, 而不是垂直地摁。
• 当你摁对手的手腕时, 抓住对手的手, 把它拉向你的身体。

架擒

- 这个技术使你能够固定对手的关节，并利用杠杆的原理将其锁定在关节活动范围之外。

<如何练习>

- 抓住对方的手，由内向外转动，然后将其举。用另一只手勾住对手的肘窝。同时，推动并锁定对手的手腕。
- 这个技术主要用于锁定肩关节、臂肘或肘窝，方法是用手勾住这些部位。
- 这个技术也可用于你的手腕或手臂被抓住的情况。

<注>

- 注意架擒的位置不要给对手活动的机会。

手指擒法

- 这个技术用于锁定对手的手指并制服对手。你可以根据具体情况选择要锁定的指定手指或锁定所有手指。

<如何练习>

- 抓住对手的手指，拉或推这些部位进行锁定。
- 你可以根据具体情况选择要锁定的特定手指或锁定所有手指。当你只锁定一个手指时，你可以推动手指的关节进行锁定。

<注>

- 抓住对手的手背以及目标手指，以控制对手的手的方向。

7 __ 躲避

这个技术使你能够通过移动身体来防御对手的攻击，而不会与对手发生身体碰撞。要做这项技术，你需要通过扭转身体和弯腰来移动整个身体，降低上半身高度，向后倾斜身体，并配合步法。在攻击者和防御者不直接碰撞的训练中，受伤的概率会大幅减少。

斜身躲避

• 这个技术使你能够通过扭转身体来避免对手的攻击。

<如何练习>

• 保持实战准备姿势，根据前脚的位置向内扭转上半身，以避免对手的攻击。
• 你可以只在原地扭转身体来躲避，或者将这种扭转动作与各类步法动作结合起来。

<注>

• 不要为了躲避而迈步太大。
• 避免过度扭转上半身，因为这会破坏你的平衡，并仔细观察对手。
• 通过在不同范围内调整距离来练习躲避。

侧身躲避

• 这个技术使你能够通过扭转身体来避免对手的攻击。

<如何练习>

• 保持实战准备姿势，根据前脚的位置向外扭转上半身，以避免对手的攻击。
• 此时，利用你将前肩拉向下巴时产生的反弹，更快地扭转身体。
• 你可以只在原地扭转身体来躲避，或者将这种扭转动作与各类步法动作结合起来。

<注>

• 不要过度扭转身体以避免对手的攻击。
• 应时刻仔细观察对手。
• 通过适当地利用腰部扭转的反弹和在不同范围内调整距离来练习躲避。

弯腰躲避

• 这个技术使你能够通过降低身体高度来避免对手的攻击。

<如何练习>

• 保持实战准备姿势，向下放低你的上半身。
• 此时，保持双手处于准备姿势，以便快速连接到攻击和防御动作。
• 你可以只在原地进行躲避，或者将这种动作与各类步法动作结合起来。

<注>

• 不要因为只躲避一次的想法而过度向下弯曲身体。
• 在躲避的瞬间后拉下巴，时刻仔细观察对手。
• 不要只用上半身躲避。也应同时适当弯曲膝盖。
• 通过在不同范围内调整距离来练习躲避。

后仰躲避

• 这个技术使你能够通过后仰来避免对手的攻击。

<如何练习>

• 保持实战准备姿势，向后倾斜以避开对手的攻击。
• 这个技术通常用于躲避对手的攻击，同时保持与对手之间的一定距离。保持双手处于准备姿势，以便快速连接到攻击和防御动作。

<注>

• 不要过度向后倾斜，因为那会破坏你的平衡。
• 当你身体向后倾斜时，不要把下巴向上抬起。同时，仔细观察对手。
• 通过在不同范围内调整距离来练习躲避。

左弯腰躲避

• 这个技术使你能够通过降低身体高度并将身体重心移动到左脚的位置来避免对手的攻击。

<如何练习>
• 保持实战准备姿势, 弯曲膝盖放低身体。此外, 略微前倾上半身, 将身体重心移向左侧。
• 此时, 保持双手处于准备姿势。
• 你可以只在原地进行躲避, 或者将这种动作与各类步法动作结合起来。

<注>
• 在躲避时下巴向下倾斜, 时刻仔细观察对手。
• 通过在不同范围内调整距离来练习躲避。

右弯腰躲避

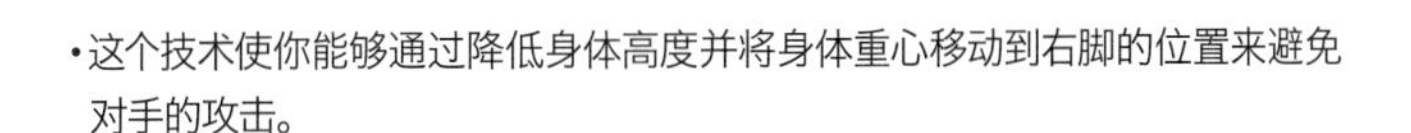

• 这个技术使你能够通过降低身体高度并将身体重心移动到右脚的位置来避免对手的攻击。

<如何练习>
• 保持实战准备姿势, 弯曲膝盖放低身体。略微前倾, 将身体重心移向右侧。
• 此时, 保持双手处于准备姿势。
• 你可以只在原地进行躲避, 或者将这种动作与各类步法动作结合起来。

<注>
• 在躲避的瞬间后拉下巴, 时刻仔细观察对手。
• 通过在不同范围内调整距离来练习躲避。

※ 躲避和步法

8 — 摔法

这个技术使你能够用手臂和腿使对手偏离重心。手臂运动的方向与腿部运动的方向相反。要击倒对手，你的平衡能力应该比对手的更好，所以你应加强锻炼下半身和核心肌肉。

绊摔

•这个技术使你能够在面对面的比赛中通过勾住对手的脚踝或膝窝来击倒对手。

<如何练习>

•把你的脚放在对手的脚旁边绊倒对手。同时，将对手的胸部或肩膀推向与绊倒相反的方向。你也可以用手拉对手的胳膊或者抓住其衣领把对手砸向地面。

<注>

•将你绊摔的腿靠近对手的腿。

•绊倒对手时注意不要太短或太深。

抱膝绊摔

• 这个技术可以让你从对手身后用腿勾住对手的膝窝，然后将其摔倒。

<如何练习>

• 站在对手身后，将腿靠近其膝窝。将你的手臂靠近对手的胸部。
• 用你的腿勾住对手的膝窝，同时用你的臂肘发力推动，将对手摔倒在地。
• 你也可以用手抓住并摔倒对手。

<注>

• 用腿准确勾住对方膝窝。
• 尽量靠近对手。

抱摔

• 这个技术使你能够用手抱起对手的腿或腰使对手偏离重心。

<如何练习>

• 用手抓住对手的膝窝或大腿后侧。用你腰部涌动的力量举起并摔倒对手。

<注>

• 要轻松摔倒对手，抓住其膝窝，把对手拉向你的方向。随后，在与地面垂直的方向上举起对手。

背摔

• 这个技术使你能够抓住对手身体的一部分，并将其摔过你的肩膀。

<如何练习>

• 抓住对手的手臂或衣领，快速转动身体将对手扛在肩上，使其偏离重心，并将其甩过肩膀。

<注>

• 放低身体，臀部尽可能靠近对手身体。

9 _ 落法

当你因为失去平衡而摔倒或倒下时, 你可以使用这个技术来保持平衡, 并分散身体部位落地时的冲击, 以减少冲击力, 最终保护你的身体。

前方落法

• 当你向前摔倒时, 这个技术能够保持你的平衡, 并分散身体各部分从摔倒中感受到的冲击, 以减少冲击力, 最终保护你的身体。

<如何练习>

• 双手在面前展开, 形成一个三角形。从三角形的手到脚趾尖, 将你的重量分成三等份。通过防止肚子和膝盖接触地面和保持姿势来保护身体。
• 把脸转向一边加以保护。
• 当你由于后方的攻击而失去平衡并向前摔倒时, 你可以使用这个技术来分散冲击力并保护身体的前部。

<注>

• 弯曲腰部, 抬高臀部, 防止肚子接触地面。
• 将臂肘与肩膀放在同一条线上, 让身体按照手指、手掌、手腕和臂肘的顺序几乎同时落地。
• 当你把手掌放在地上时, 确保你的手腕没有弯曲。

后方落法

• 当你向后摔倒时，这个技术能够保持你的平衡，并分散身体各部分从摔倒中感受到的冲击，以减少冲击力，最终保护你的身体。当你由于前方的攻击而失去平衡并向后摔倒时，你可以使用这个技术来分散冲击力并保护身体。

<如何练习>

• 以45度角张开双臂，让身体按照手尖、手掌、臂肘和肩膀的顺序落地。用你的手臂保护你的后脑勺和脊柱。
• 向上抬起双腿，使其处于15到90度的范围内。收下巴，向肚子低头，保护头部。
• 当你由于前方的攻击而失去平衡并向后摔倒时，你可以使用这个技术来减少冲击力并保护身体。

<注>

• 当你把手掌放在地上时，确保你的手腕没有弯曲。

侧方落法

• 当你向侧方摔倒时, 这个技术能够保持你的平衡, 并分散身体各部分从摔倒中感受到的冲击, 以减少冲击力, 最终保护你的身体。

<如何练习>

• 将一只手放在身体旁边的地上, 另一只手放在肚子上。用你的后脚脚掌和前脚的脚刀接触地面。
• 用你的手臂和腿来减少冲击, 保护器官和肋骨。收下巴, 向肚子低头, 保护头部。
• 当你由于侧方的攻击而失去平衡并向侧方摔倒时, 你可以使用这个技术来减少冲击力并保护身体的右侧或左侧。

<注>

• 小心不要让你的头碰到地面。
• 保持双手接触地面的角度为40到45度。
• 当你把手掌放在地上时, 确保你的手腕没有弯曲。

前滚翻

• 当你向前方摔倒时，这个技术能够保持你的平衡，并分散身体各部分从摔倒中感受到的冲击，以减少冲击力，最终保护你的身体。

<如何练习>

• 在弓步的姿势中，将你的一只手臂轻轻地放在地上，使你的腿和放在地上的手臂形成一个三角形。随后，将另一只手臂拉入身体，滚动，让身体按照肩膀、背部和臀部的顺序接触地面。
• 此时，向肚子方向低头，防止头部接触地面。
• 当你由于失去平衡或跳过障碍物而摔倒或向前摔倒时，滚动可减少冲击并保护你的身体。

<注>

• 在滚动过程中，小心不要让你的头碰到地面。

空中旋转落法

• 当你在空中旋转并自然落下或由于受到攻击时，这个技术使你能够分散冲击力并保护身体。

<如何练习>

• 你应该根据脚的起点用不同的方式练习这个技术。将双手从耳旁用力朝着计划的旋转方向放下，朝着另一侧的骨盆运动。用力向上提你的后腿，将你的骨盆带到空中。用另一条腿推动地面，将身体弹向空中并旋转。
• 尽量让踢腿的脚趾尖先接触地面。将这个姿势与侧方落法并用起来。
• 这项技术的收尾动作与侧方落法技术相同。将一只手放在身体旁边的地上，另一只手放在肚子上。用你的后脚脚掌和前脚的脚刀接触地面。
• 用你的手臂和腿来减少冲击，保护器官和肋骨。收下巴，向肚子低头，保护头部。

<注>

• 用力向上提你的后腿，防止身体在空中展开。
• 在落法中，小心不要让你的头碰到地面。确保收尾动作与侧方落法技术相同。

3 配合实战

1 基本构造

配合实战是指你准备对对手进行直接和防御性攻击的训练阶段，它遵循如下基本结构。

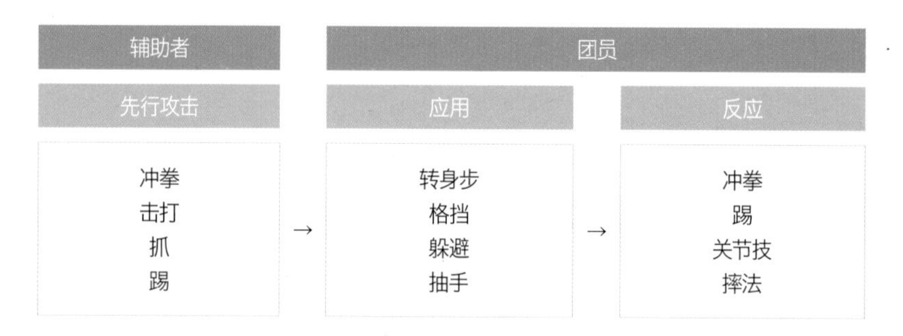

配合实战的基本构造

2 __ 连续基本技术

你可以在配合实战中使用不同类型的连续攻击和防御技术。建议重复练习连续的基本技术，并在与对手的配合实战比赛中应用。此外，你可以自行开发超越基本技术的技术组合，并在不同的情况下应用它们来提高能力。

(1) 格挡后反击

格挡后冲拳

• 这个技术使你能够格挡对手的攻击并进行反击。

<如何练习>

• 一只手格挡对手的攻击，另一只手向前伸展攻击对手。
• 根据对手攻击的方向进行向下、向外、向内或向上格挡，并击打对手的面部或躯干。
• 根据情况使用各种类型的冲拳和击打。
• 拉动另一只手去保护下巴，并在上述动作后迅速回到最初姿势。

<注>

• 通过身体的旋转和肩膀的弹性来练习格挡。
• 格挡后，自然回到准备姿势，用弹性把最后一个动作和冲拳顺利连接起来。
• 做格挡和冲拳时，手臂的移动应适当，防止超出身体的外廓线。

用格挡手进行格挡后冲拳

• 这个技术可以让你用手格挡对手的攻击并用同一只手冲拳。

<如何练习>

• 一只手格挡对手的攻击，用同一只手向前伸展攻击对手。
• 拉动另一只手去保护下巴，并在上述动作后迅速回到最初姿势。
• 根据对手攻击的方向进行向下、向外、向内或向上格挡，并击打对手的面部或躯干。
• 根据情况使用各种类型的冲拳和击打。

<注>

• 在连接格挡和冲拳动作时，应做到平稳快速。

格挡同时冲拳

• 这个技术使你能够格挡对手的攻击，同时用冲拳进行反击。

<如何练习>

• 用一只手格挡对手的攻击，同时用另一只手出拳予以反击。
• 根据情况使用各种类型的冲拳和击打。
• 根据对手攻击的方向进行向下、向外、向内或向上格挡，并击打对手的面部或躯干。

<注>

• 通过身体的旋转和肩膀的弹性来练习格挡。
• 充分转动身体，以帮助伸展手臂的肩膀进一步移动。

格挡后踢击

•这个技术可以让你用手格挡对手的攻击，并伸腿踢击对手。

<如何练习>

•快速连接格挡和踢腿动作。
•保持双手与肩同高，以防御对手的攻击或攻击对手。
•根据情况踢对手的面部、肚子或下半身。拉动非格挡手去保护下巴，并在上述动作后迅速回到实战准备姿势。
•连续动作的应用可以根据对手的目标部位和你正在使用的身体部位而变化。

<注>

•通过躯干的旋转和肩膀的弹性来练习格挡。
•平稳连接格挡和踢腿动作。

格挡同时踢击

•这个高水平的技术使你能够格挡对手的攻击, 同时伸腿反击对手。

<如何练习>

•格挡对手的攻击, 同时伸腿进行踢击。
•根据情况踢对手的面部、肚子或下半身。
•拉动非格挡手去保护下巴, 并在上述动作后迅速回到实战准备姿势。
•保持双手与肩同高以便攻击和防御。
•连续动作的应用可以根据对手的目标部位和你正在使用的身体部位而变化。

<注>

•由于手臂和腿的长度不同, 你应该根据反击的情况立即调整姿势。
•练习像做一个动作一样做格挡和踢腿动作。

格挡后绊摔或背摔

•这个技术使你能够格挡对手的攻击，抓住对手绊摔或背摔。

绊摔

背摔

<如何练习>
- 格挡对手的攻击，并用格挡的手抓住对手衣服或身体的一部分。随后，根据情况做绊摔或背摔。

<注>
- 在格挡动作后快速进行抓的动作。
- 在背摔之前，降低身体的重心，将身体靠近对手。
- 当你勾住对手的腿时，用你的手在另一面攻击或拉动对手。

(2) 躲避后反击

在这个阶段，你可以在与对手的实际实战中运用之前作为基本技术学习的躲避技术。在躲避对手的攻击后并实施反击时，躲避动作幅度不应过大。如果躲避动作过大，就要用大动作重新移动才能反击。因此，正确做法是以小幅度的动作躲避对手攻击，这样才能立即将前面的动作与反击动作联系起来。

斜身躲避后冲拳

- 这个技术可以让你斜身躲避攻击后，出拳反击对手。

<如何练习>
- 当对手在保持实战准备姿势时，前面的手做冲拳，你可用右脚做斜滑步并斜身。随后，转身以右上冲拳反击对手。

<注>
- 不要为了躲避而过度压低身体。
- 平稳连接躲避和反击动作。

侧身躲避后关节技

• 这个技术使你能够侧身或转身来避免攻击，然后使用擒拿技术进行反击。

<如何练习>

• 当对手用后手攻击时，侧身或转身，用右手抓住对手的手腕。同时，将左手缠绕在对手的肱二头肌上。随后，左脚以右脚为轴线向后转动，擒拿对手的手臂。

<注>

• 不要为了躲避而过度扭转身体。
• 转动腿时注意保持平衡。

弯腰躲避(原地)、冲拳和抱摔

•这个技术可以让你弯腰躲避对手攻击，出拳攻击并使其偏离重心，然后再抱摔对手。

<如何练习>

•对手后手冲拳时，躲开后右手出拳攻击其躯干。随后，在反击过程中抬起对手的腿将其摔倒。

<注>

•冲拳击打对手，靠近对手。
•用上半身推动对手，抬起对手的腿，以更有效地摔倒对手。

后仰躲避同时踢击

•这个技术可以让你上半身后仰，用踢腿反击对手。

<如何练习>

•对手后手冲拳时，后仰的同时用左脚推踢，以格挡对手的移动。随后，用右脚做低位横踢反击对手。

<注>

•不要为了躲避而过度后仰。

•用于推踢的腿落地后，快速将这个动作与低位横踢连接起来。

(左) 弯腰躲避同时冲拳

• 这个技术可以让你向左弯腰躲避攻击后，出拳反击对手。

<如何练习>

• 当对手用右手横冲拳攻击时，左脚做斜滑步并弯腰躲避对手的攻击。同时，用右手做横冲拳攻击对手的躯干。站直后以左手做横冲拳攻击对手的面部。

<注>

• 不要为了躲避而过度压低身体。
• 快速连接右手和左手的横冲拳。

(右) 弯腰躲避后踢击和冲拳

• 这个技术可以让你向右弯腰躲避攻击后, 以踢击和冲拳反击对手。

<如何练习>

• 当对手用左手做横冲拳时, 向右弯腰躲避。随后, 用一记低位左横踢反击对手, 并用右手冲拳击打对手的面部。

<注>

• 小心观察和躲避对手的攻击。
• 当你把一个踢腿和后续冲拳连接起来时, 应快速向前移动你上半身的重心。

※ 另附视频说明如何在躲避后进行反击

(3) 抽手后反击

这个技术使你能够抽出被对手抓住的手，并平稳而迅速地给予对手反击。

下抽后击打

• 这个技术使你能够向下抽出被困的手腕，并以击打反击对手。

<如何练习>

• 当对手用右手抓住你的左手时，向下抽出你被困的手，以交叉步双肘侧击反击对手。

<注>

• 动作幅度不要过大，否则会导致你被困的手放得太低或者身体重心过度向前移动。
• 平稳连接下抽和反击动作。

上抽后绊摔

•这个技术使你能够向上抽出被困的手腕，并在反击中摔倒对手。

<如何练习>

•当对手用左手抓住你的右手时，左脚迈一步，向上抽出你的右手。从后面勾住对手的膝窝，把对手摔倒。

<注>

•当你抽出被对手抓住的手时，不要过度向上举起这只手或过度向后移动身体重心。

•快速将抽出手腕的动作和用腿勾住对手膝窝的动作连接起来。

向内扭抽后踢击

• 这个技术使你能够扭转和抽出被对手抓住的手腕，并用多段侧踢反击对手。

<如何练习>

• 当对手用右手抓住你的左手时，右脚后退一步，手向右转并抽出。随后，以多段侧踢攻击对手的腿和躯干。

<注>

• 注意动作幅度不要太大，否则会导致被困的手在你抽出来的时候超出你身体的外廓线。
• 平稳连接抽出和踢击动作。

向外扭抽后击打

• 这个技术使你能够扭转被对手抓住的手腕，将其抽出，并以击打予以反击。

<如何练习>

• 当对手用左手抓住你的右手时，手向右转并抽出。同时，左脚向前迈步，用松开的手给予对手一记掌根内击。

<注>

• 如果松开的手超出了你身体的外廓线，你就会失去反击的时机。
• 向前迈一步，将你的重量自然地施加在前脚上，同时进行击打。

击打后上转抽

• 这个技术使你能够击打对手, 旋转并抽出被对手抓住的手腕。

<如何练习>

• 当对手用右手抓住你的左手时, 用你的右手虎口攻击对手的脖子。随后, 顺时针方向向上旋转你被困的手并将其抽出。

<注>

• 当你旋转并抽出你被困的手腕时, 应快速完成相关的动作。
• 在用虎口击打对手的同时, 快速后退一步。

下转抽后关节技

•这个技术使你能够旋转并抽出被困的手腕, 并以擒拿技术反击对手。

<如何练习>

•当对手用左手抓住你的右手时, 顺时针旋转被困的手腕并抽出。同时, 做交叉步, 左脚放在后方, 用你的左手抓住对手的左手。用你的右臂肘做一记侧击, 用你的左脚向前迈一步, 按压对手左肩并做摁擒。

<注>

•当你旋转并抽出手时, 应快速完成相关的动作。

•用臂肘做一记侧击后, 快速将这个动作与擒拿动作连接起来。

※ 另附视频说明如何在抽手后进行反击

3＿ 不同情况下应对方法

(1) 被抓住时

当对手抓住你的外手腕时

• 当对手抓住你的外手腕时，你可以运用转抽技术或上抽技术来挣脱被困的手腕，然后用踢制服对手。

当对手抓住你的外手腕时

右脚后退一步，
将被困住的左手向右旋转，
然后向上抬起。

用你的右手击打你的左
手掌来推动对手。

转动身体，右脚向前迈步。
用右拳击打对手面部。

用左脚做后踢。

仔细观察对手。

<注>

• 当你向右旋转被困的手腕并向上抽出时，放松手臂肌肉并快速完成相关动作。
• 快速连接向前迈步和后踢的动作。

内手腕被抓时

• 当对手抓住你的内手腕时，运用摁擒、拧擒、架擒和绊摔等技术，保护自己并制服对手。

当对手抓住你的内手腕时

顺时针方向向上旋转被困的手腕，
将其抽出，用左手做立冲拳。

用你的手臂缠绕对手的手臂，
按压对方的手背，做擒拿动作。

逆时针方向旋转对手被困的手。
做拧擒技术。

当对手向你的面部做横冲拳时,
用你的右外手腕做外格挡。

用右手掌根击打对手面部。

迈出一步, 将右脚放在对手身后。
将对手被抓住的手拉向你身体的内
侧线, 放低, 绊摔对手。

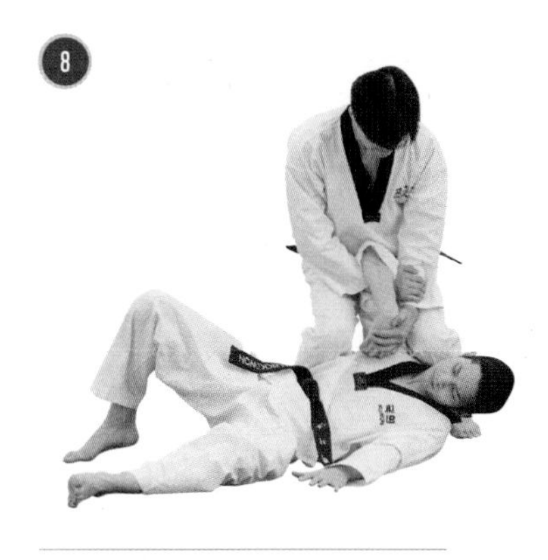

用右手缠绕对手的手腕。
同时, 用左手抓住对手的手背,
放低。给对手的手做架擒。

用左脚包住对方的脖子,
向后躺下。锁定对手的肘关节。

<注>

- 快速将立冲拳动作与抓住对手手臂、按压手背和锁定关节的动作连接起来。
- 当你用右脚向前迈一步, 绊倒对手时, 几乎同时完成绊倒动作和抓住对手的手并将其拉向你的身体的动作。

两只手腕被抓时

•左脚后退一步, 转动身体。用左手抓住对手的左手腕, 将右手向左抽出。

当对手同时抓住你的两只手腕时

左腿向一侧移动, 做后交叉步。
做右肘击打。

用右手做背拳击打。

左腿向一侧移动, 做后交叉步。
做右肘击打。

右脚后退一步, 抓住对手的双手,
背摔对手。

<注>

- 快速连接左脚后退一步和转动身体的动作与抓住对手的手腕并抽出被困的手的动作, 要几乎同时做这些动作。
- 在摔对手之前, 降低身体的重心, 将臀部靠近对手的身体。

用右拳做向下击打。

仔细观察对手。

脖子被缠时

• 当对手缠住你的脖子时，运用绊摔、擒拿和肘击等技术来制服对手。

1 当对手用手臂从侧面缠住你的脖子时

2 用右腿从外向内勾住对手的右腿，就好像你和对手一起向前摔倒一样。

<注>
- 快速完成绊摔和推搡对手的动作。
- 当对手缠住你的脖子时，在对手用力拉你并使你完全失去平衡之前绊倒对手。

把身体压在对手身上。用右手抓住对手的右脚并抬起。
用你的左肘窝勾住对手的右脚，用手扭转其脚趾尖。
锁定对手的踝关节，用右臂肘击打对手面部。

向后移动，仔细观察对手。

从后面被抱时

• 当对手从后面抱住你时, 你可以运用扭臂、擒拿、肘击、踢腿等技术制服对手。

当对手从后面用手臂抱住你,
阻止你的手臂活动时

把你的手臂转向身体内侧,
创造一些空间。

在这空隙之中, 把你的一只手臂举起。
同时, 向外举起另一只手臂,
握紧双手。

随后, 用力放下紧握的双手,
将身体从对手的手臂中松开。

用助手臂肘击打对手的面部和肚子。

再以一记后踢攻击对方的肚子。

仔细观察对手。

<注>

- 快速将扭转对手手臂的动作与举起双手紧握的动作连接起来。
- 举起和紧握双手的目的不是举起对手，而是迅速将双手从对手手中松开。

(2) 冲拳攻击时

后手攻击面部时 (1)

• 当对手后手冲拳时, 你可以运用格挡、冲拳、踢击等技术来保护自己, 制服对手。

摆出准备姿势。

左手做外格挡, 右手冲拳。

当对手向你的面部做左横冲拳时,
用你的右外手腕做外格挡。

用你的左手出拳。

用右上冲拳击打对手面部。

做一个右翻推踢,
目标是对方的下半身。

当对手向你的面部做右冲拳时,
用你的左掌根做下压格挡。

用左脚侧身斜外踢击打对手面部。

用右脚从外向内做下劈。

仔细观察对手。

<注>

• 保持身体平衡和注意力集中, 快速完成各种类型的手部技术。

后手攻击面部时 (2)

• 当对手用后手攻击你时，运用格挡、击打、摁擒、冲拳和绊摔等技术来保护自己并制服对手。

1 摆出实战准备姿势。

2 左脚向前迈步，左手格挡对手的掌根。用右手掌根击打对手面部。

3 把你的身体转向右边，用你右手腕的底部勾住对手的手腕。用你的左外手腕锁定对手的肘关节。

4 用左手从内向外扭转并锁定对方的右腕关节。当对手向你的面部做左冲拳时，用你的右掌根做下压格挡。

用你的左脚做后交叉步,
给对手一记右臂肘侧击。

用手扭转对手的手腕。同时, 将你的右脚后退一步,
把那只脚放在对手的腿后面。用右手勾住并锁定对手的手臂。
逆时针方向转动身体, 用右脚绊倒对手。

用右拳做向下击打。

右手勾住对方的膝窝, 左手勾住对方的手臂。
按压并锁定对手的腕关节。

用左腿勾住对手的脖子。
向后躺下, 擒拿锁定对手的肘关节。

仔细观察对手。

<注>

- 转身步时保持身体平衡。
- 绊倒对手后, 迅速用左手勾住其手臂, 防止松脱。

前手攻击面部时

• 当对手前手攻击时，你可以运用格挡、冲拳、踢击等技术来保护自己，制服对手。

摆出实战准备姿势。

右脚做斜滑步，
右掌根向内格挡对手。

用你的左手刀向外格挡对方的攻击。

给对手一记右冲拳。

以左冲拳击打对手面部。

当对手用右手以横冲拳击打你面部时，
用你的左脚向左做转身步，
用你的右手格挡对手向内的攻击。

用左脚后踢对手的下半身。

跳高并用右脚给对方一记后踢。

仔细观察对手。

<注>

- 转身步时保持身体平衡。
- 向对方下半身后踢后，快速跳跃并做后踢。

(3) 踢击时

前踢踢击面部时

- 当对手用前踢攻击你时, 你可以运用中格挡、冲拳、踢击等技术来保护自己, 制服对手。

1

摆出实战准备姿势。

2

左脚做斜滑步,
左外手腕做中格挡。

3

以右冲拳击打对手面部。

4

做一个左踩脚横踢,
目标是对方的下半身。

<注>

- 对手踢击你时，几乎同时做斜滑步和格挡动作。
- 当你踢对方的腿时，在保持身体平衡的同时，快速移动身体的重心。

5 用右脚做翻转推踢，目标是对方的下半身。

6 用右脚前推踢对手面部。

7 仔细观察对手。

推踢踢击躯干时

• 当对手用推踢攻击你时，你可以运用中格挡、臂肘击打、缠抓和抱摔等技术来保护自己，制服对手。

实战准备姿势。

左脚斜滑步，向右斜身躲避，用左手腕做躯外格挡。

做右交叉步，用右肘绊住对方的腿。

左肘侧击

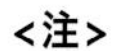

<注>

- 当对手踢你时，快速且几乎同时地做斜滑步、格挡和用手肘勾住对手腿的动作。直到完成交叉步，自然地连接所有的动作。
- 当你抓住对手的肚子并做抱摔时，在保持身体平衡的同时，快速移动身体的重心。

把你的左脚放在对手身后，
抓住对手的肚子。抱摔对手

用右脚压住对手的膝盖。
用你的右臂绕住对手的脚踝固定并
锁定关节。

仔细观察对手。

横踢踢击躯干时

• 当对手用横踢攻击你时，运用抓住、转身步、绊摔、臂肘下击打等技术来保护自己并制服对手。

1 摆出实战准备姿势。

2 左脚做斜滑步，双手抓住对手的脚踝。

抓住对方的脚踝,
右脚向前迈一步,
同时保持这个姿势。
左脚以右腿为基础做一个转身步,
把对手的腿放在你的右肩上。

用力放下双手, 绊倒对手。

用左手抓住对手的脚背。

向右翻滚, 用臂肘向下击打对手。

<注>

- 当对手用踢腿攻击你时, 做斜滑步, 同时快速抓住对手的脚踝。
- 要把对手的腿放在你的肩膀上, 向下拉, 绊倒对手, 你应该迅速完成抓住对手脚踝的动作, 做转身步, 并提前采取跪姿。

(4) 遇到特殊情形时(地形地物)

背靠墙时

• 当你背靠着墙站着, 对手推你时, 你可以运用抓、抽出、架擒、冲拳和击打等技术来保护自己并制服对手。

① 当你背靠着墙站着,
对手用双手掐住你的脖子时

② 握紧双手, 向下推对方的肘窝,
使对方偏离身体重心。

③ 用右手掌根击打对手面部。

④ 用你的左手拉住对手的脖子后面,
用你的右肘击打对手的面部。

右脚做侧滑步,
左手抓住对手脖子的后面。
将右手放在对手的肱二头肌和背部之间,
将对手推向墙壁。

用右膝向上击打。

向对方的下半身做侧踢。

用右膝击打对手。

仔细观察对手。

<注>

- 当你把对手推向墙边时, 你应该在转身步的基础上快速转身, 以利于反击。
- 将对手推向墙后, 用膝盖撞击对手, 不给对手反击的机会。

躺着被掐脖子时

•当你躺在地上时，对手掐住你的脖子，你可以根据以下指示做出反应。这种情况被认为是一种紧急情况，因为对手将双腿放在你的肚子上，并将身体的重量压在你身体的中心，从而使你窒息。

1

当对手爬到你身上，
用双手掐住你的脖子时

2

抬起你的腰，
同时用你的双手移开对手的手肘，
以挣脱被掐住的脖子。

3

用双手掌根击打对方的肋骨。

4

右手向上伸展，左手放低对方的肘窝。
同时，抬起你的腰部，
将你的身体转向一边，
以扭转你们的身体位置。

5

用你的双肘向下击打对手缠绕在你的身体上的双腿。

6

用你的手展开对方的双膝。
做后滑步, 快速站起来。

7

用右腿做前踢。

8

仔细观察对手。

<注>

- 应该训练你的核心肌肉(如腰部、肚子、大腿肌肉), 使你能够在身体受到对手挤压的情况下抬起腰部。
- 快速将拿走对手肘部和挣脱脖子的动作与掌根击打的动作连接起来。

坐在椅子时
(用手部技术攻击你)

• 当你坐在椅子上，对手用手攻击你时，运用格挡、擒拿、抓、踢、和击打等技术来保护自己并制服对手。

1 用右手向外格挡对方的左手进攻。同时，给对手的腿一记推踢。

2 当对手向你的面部挥出一记右横冲拳时，用你的左手向外格挡。

把你的右脚放在椅子上，
逆时针扭转对方被格挡的手。
用右手抓住对手的手腕，
用力将其手肘拉到你的膝盖上，
猛击并锁定对手的手臂关节。

把你的右腿移到椅子后面，
抓住对方的脖子，拉到椅背上，
用左膝撞击对方的脖子。

用你的右手刀向下击打。

<注>

- 当你坐在椅子上时，要同时进行格挡和踢腿，你应该反复训练自己，练习距离感和时间感。
- 当你从椅子上站起来抓住对手的手臂时，抬起你自己，迅速把你的一条腿放在椅子上。

坐在椅子时
(用腿部技术攻击你)

• 当你坐在椅子上, 站在你面前的对手用脚踢你时, 运用格挡、冲拳和踢击等技术来保护自己并制服对手。

站起来, 同时用左手做下段格挡来格挡对手的右横踢。

用左肘窝勾住对方的腿, 右脚向前迈一步, 挥出右拳。

<注>

- 当你把你的右手腕放在对手的股骨肌肉上，用你的左手勾住对手的腿时，你应该快速地转动你的身体，使对手失去平衡。
- 当你坐在椅子上，愿意防御对手的横踢时，你应该提前察觉对手的踢腿动作，并迅速站起来。

用你的左臂勾住对手的腿，
把你的右手腕放在对方的股骨肌肉上。
转动身体，在右腿的基础上做左转身步，
推对手让其坐在椅子上。

做左侧踢。

仔细观察对手。

4 特殊实战

1 持棍攻击时

当对手用棍子或长凶器攻击你时，不可避免地会有攻击你的准备动作。这些准备动作随着武器长度的增加而增加。在对手用拳头攻击你之前，你可以通过观察对手肩膀的运动来躲避或格挡攻击。为了防御对手的持棍攻击，你应该根据对手在挥动棍子之前向上或向一侧举起棍子的动作快速分析其意图。因此，在对手发动全面进攻之前，你应该通过观察其准备动作来积极地保护自己。在对手进入攻击你的范围之前，采取适当的步法来躲避对手的攻击也很重要。此外，由于特殊实战要求你回击对手持武器的攻击，你应该在用手臂防御对手的攻击后进行额外的动作。准确来说，你应该格挡对手的攻击，同时用另一只手进行抓住、勾住或扭转对手的后续动作。你可以通过不断重复的练习来学习这些技术。

手持棍从上往下击打时

• 当对手持棍从上往下击打你时，你可以运用格挡、摁擒、架擒和绊摔等技术来保护自己并制服对手。

摆出准备姿势。

左脚做斜前滑步，
用右手做上段格挡。同时，
用你的左外手腕按压对手的肘部，
锁定其肘关节。

向对方的背部做腾空后踢。

向左侧做后转身步。
用左手内手腕格挡并抓住水平攻击来的手腕。
同时用外手腕做对手肘部的摁擒。

顺时针方向转动抓住对方手腕的右手,
用左手虎口勾住棍子,
锁定对手的腕关节。

用左手抓住棍子,
用双手大轮击动作抓住它。

用拿起的棍子向下击打对手的右肘窝,
将抓住对手的右手逆时针转动并向上举起。

用棍子勾住对手的内手腕和肱三头肌,
抓住棍子的两端,
绊倒并擒拿对手。

把你的右脚靠近对方的右手,
推动对方被勾住并锁定的手,
绊倒对方。

仔细观察对手。

<注>

- 在这种情况下, 你需要制服挥舞武器的对手。因此, 这种情况下需要你做连接的动作, 而不是一个单一的动作。例如, 你需要同时完成以下动作: 格挡并将手掌放在对手肘部的动作, 或者用手抓住对手的手腕, 同时用另一只手按压并锁定对手的肘关节的动作。反复练习这些相连的动作, 以平稳快速地完成这些动作。
- 你应该几乎同时完成勾住对手腿的动作和推动其被困的手的动作。

水平方向挥棍时

•当对手水平挥动棍子时，你可以运用推、抓、擒拿和击打等技术来保护自己并制服对手。

摆出准备姿势。

用左手抓住对方的手臂，
用右手击打对方的肘部。

逆时针方向转动对方的臂肘。
用另一只手抓住其手肘并抬起。
同时，左脚做前滑步，
用背拳攻击其躯干。

用右手抓住对手的手腕，
做后滑步，将右脚移到对手身后。
用左手拉棍子锁定对手的腕关节。

<注>

- 将抓住对手手臂的动作与用掌根快速同时向上击打对手手臂的动作连接起来。

用右手扭转对手的手腕,
用左手抓住棍子。

把棍子靠近对方的膝窝后面。

抓住棍子的两端,
根据对方的膝窝绊倒对方。

仔细观察对手。

2 — 持刀威胁或攻击时

如果可以的话，最好避免与拥有刀的对手战斗。然而，在不可避免的情况下，你应该制服对手。与其他类型的凶器（如棍子）不同，即使是一次刀子攻击也可能造成致命伤害。因此，你应该小心、准确、迅速地应对持刀攻击。具体来说，你应该通过应用各种跆拳道技术来格挡对手的持刀攻击，如格挡、抓和擒拿，并通过反击快速制服对手。

持刀向下刺击时

• 当对手用刀从前面向上刺时，运用格挡、抓住、拉开和踢等技术来保护自己并制服对手。

① 摆出准备姿势。

② 用你的手刀格挡对手的手腕，并自上而下移动。同时，勾住对手的手腕，向下扭转并锁定其关节。

③ 用左手抓住刀背，用右手内手腕向外推对方的手。

④ 抢刀。

5

用你的右手掌根击打对手的面部。

6

用你的左臂环绕对手的腋窝，
并锁住其肩膀。
随后，用你的右膝击打对手。

7

用你的左膝窝勾踢对方的脖子，
然后将对手摔倒。

8

瞄准对手的脖子制服对手。

9

仔细观察对手。

<注>

- 当你无法制服持刀的对手时，会导致非常危险的情况。因此，你应该反复练习这个技术，使你能够准确而迅速地完成动作。开始时慢慢练习这个技术，当你熟练后再提高速度。
- 在当你练习这个技术时，专注于无缝地完成两个或更多相连的动作，比如格挡和抓的组合，以及锁定、扭转和抽出的组合。

持刀向肚子刺击时

• 当对手试图用刀从前面刺你的肚子时，运用抓、擒拿、击打、踢等技术来保护自己并制服对手。

当对手试图从前面用刀刺你的
肚子时

逆时针方向转动身体，
用右手抓住对手的手腕。
将你的左背手腕靠近刀的外侧表面，
做剪刀格挡，锁定对手的腕关节。

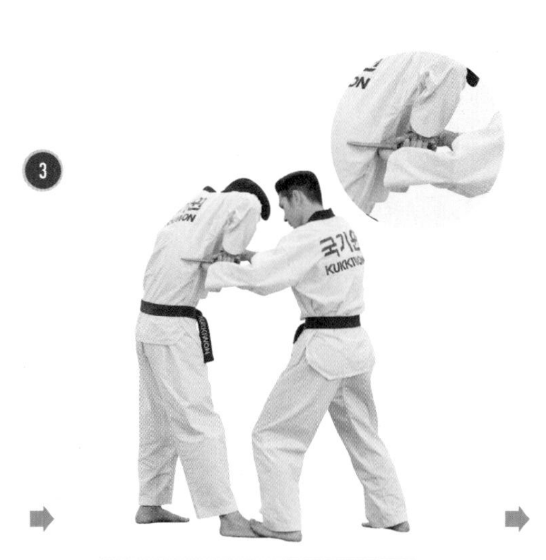

左脚做前滑步，踩对方脚背，
向前攻击。

左脚做后滑步，逆时针方向转动身体，
同时，将对手的手腕拉向你的身体，
将刀背放在你的左手虎口上，
扭转并锁定对手的腕关节。

5

用左手抓住刀柄，
做双手大轮击动作将刀夺下。

6

用你的左手向外推，
做下段格挡来格挡对手的右手。

7

用右手做虎口击打。

8

用左脚做推踢。

9

仔细观察对手。

<注>

- 最大的重点放在第一个动作上，即控制对手在你肚子前拿刀的手。你应该大胆而准确地完成这个动作。
- 当你练习这个技术时，专注于平稳地连接两个或更多相连的动作。

持刀正面刺击时

• 当对手试图用刀从前面刺你时，运用抓、擒拿、击打、踢等技术来保护自己并制服对手。

摆出准备姿势。

当对手试图用右手用刀刺你的胸口时，用左手做外格挡，冲拳。

当对手再次用刀刺你的肚子时，用左虎口做下段格挡，抓住对手的手。随后，用右手做外手腕下格挡。

用左手抓住对方的右手腕。当对手向你的面部做左横冲拳时，用右手做外格挡。

用左手抓住对手的右手腕，做右冲拳。

6

当对手向你的面部挥出一记左横冲拳时,
用手刀做外格挡并抓住对手的手腕。
用对手被困的手腕击打刀, 迫使对手放下刀。

7

左脚做前滑步, 同时抓住对方的手腕。向后做转身步, 背摔对手。

8

向倒下的对手的面部挥出一记向下的重拳。

<注>

- 几乎同时进行下格挡和锤拳击打, 并迅速抓住对手持刀的手腕。
- 当你练习这个技术时, 专注于平稳地连接两个或更多相连的动作。

3 __ 持枪威胁时

从远距离情况下, 枪是比刀危险得多的武器。然而, 当你离对手的武器足够近, 可以触摸到它时, 当对手拿着枪时, 你可以比对手持刀时更安全地制服对手。也就是说, 用手抓住刀刃来制服持刀的对手几乎是不可能的。如果是这样的话, 你可能会遇到相当大的危险。相反, 当你用手抓住武器制服持枪的对手时, 你不会面临被割伤的风险。因此, 当你面对一个持枪的对手时, 你可以通过扭转身体或抓住对手的枪并扭转枪口的方向来逃离危险的情况。

在学习应对枪支威胁的方法之前, 你应该了解军队等组织中经常使用的某些类型的枪支。通过提高对枪支结构和功能的理解, 并在训练中实际使用这些武器, 你可以更快、更有效地应对枪支威胁。然而, 你应该记住, 你可能会遇到一个非常危险的情况, 如果你没有抓住对手的枪或阻止对手的移动, 你甚至可以当场失去生命。因此, 你应该进行反复练习和充分的心理训练, 以达到熟练地应对枪支威胁的水平。

正面持枪威胁头部时

• 当对手从前面用枪指着你的头时, 运用抓、擒拿、击打、踢击等技术来保护自己并制服对手。

1 当对手从前面用枪指着你的头时

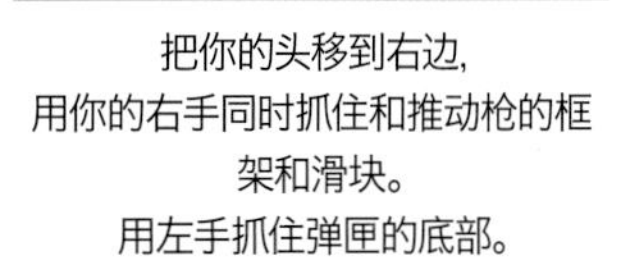

2 把你的头移到右边,
用你的右手同时抓住和推动枪的框架和滑块。
用左手抓住弹匣的底部。

<注>

• 做转头、用手抓住弹匣、同时用另一只手抓住和拉动枪滑块的动作。为了达到这个目标, 需反复充分地练习上述动作。
• 当你成功抓住对手的枪时, 继续抓住它, 直到你用对手的手指、手臂和关节完全制服对手。
• 抢枪时或抢枪后反击时, 确保枪口不指向你或你的盟友。

3

转身，用右手向上推枪口，
用左手拉弹匣底部，扭转对手的手，
挡住对手对你面部的左横冲拳。

4

用你的右手固定并推动对手的手指
在扳机上进行擒拿。
（动作3和4是相连的。）

5

抓住对手在扳机上的手指，
将你的手从身体向外伸展，
以锁住对方的手指。

6

做右横踢。

向对手下半身做右侧踢,
并从对方手中抢走枪。

仔细观察对手。

正面持枪威胁躯干时

• 当对手从前面用枪指着你的肚子时，运用抓、格挡、冲拳、击打、踢击等技术来保护自己并制服对手。

当对手从前面用枪指着你的肚子时

顺时针方向转动身体，用左掌根推拉对方的手腕。
同时，迅速将你的右手虎口放在枪前。

左手抓住对手的手腕，
右手抓住枪架和滑块，
向上击打对手下巴，抢夺武器。

抓住枪的同时，
用枪柄做锤拳击打脖子。

握枪时,
用枪柄做锤拳下击打对手的肘窝。

向对方的腿做低位侧踢。

仔细观察对手。

<注>

- 快速做连接的动作, 如从对手手中抢夺并拿走枪, 格挡其攻击, 持枪格挡并击打对手。
- 当你转动身体并推动持枪对手的手腕时, 你应该通过同时推动和抓住其手腕来阻止其运动。这些格挡动作使你能够用另一只手抓住枪滑块, 安全地抓住武器。
- 抢枪时或抢枪后反击时, 确保枪口不指向你或你的盟友。

背面持枪威胁时

•当对手站在你身后，把枪对准你的背后时，你可以运用绊摔和擒拿、抓、冲拳和踢击等技术来保护自己并制服对手。

当对手站在你身后，
把枪对准你的背后

顺时针方向转动身体，
用右手腕推动对方握枪的手臂，
转动枪口方向。
右手逆时针方向抓住并卷起对手的手腕。
用你的左手抓住枪架，滑动，绊倒，
擒拿对手的手。

用力放下对手握枪的左手，
抢夺武器。

<注>

•1) 绕过右脚中心，2) 用右臂转动枪口方向，3) 缠绕对手的手臂，4) 用左手抓住枪架和滑块，5) 擒拿对手的手腕。
•同时快速连接上述动作。
•一个需要高度集中注意力的动作。开始的过程比后来抓住或压制枪的过程更重要，它需要大量的练习。
•在抢枪或反击时，始终注意不要将枪对准自己或盟友。

用右手做下段格挡，
推对方的右臂。

握枪时，
用枪柄向对手的面部做左冲拳。

向对方的下半身做侧踢。

仔细观察对手。

3 竞技实战的练习

1 实战准备

实战姿势是有效进行竞技实战的准备姿势。对于最初实战姿势的基本形式，你需要首先张开双腿，双腿之间的间隙是肩膀宽度的1.5倍。随后，你应该轻轻地握紧拳头，并自然地将它们定位在胸部的高度。为了保持理想的站姿，你需要让你的上半身直立，膝盖弯曲120度到130度的角度，肩膀侧放45度的角度。

为了有效地格挡和击打对手，你应该把你的手放在胸部的位置。这个位置使你能够最快地防御对手对你面部或躯干的攻击。你也可以将你的动作转换成冲拳，在格挡后立即快速传递力量。在竞技实战中，双手放在躯干前。然而，你右手的高度可以不同于左手，因为你的前拳可以放在比后拳低的地方。这种本能的姿势放松了你肩膀的紧张，使你能够在最佳状态下对对手进行攻击和做反击踢。因此，你不应该过度举起你的前拳。此外，当你的前拳放低时，不管你握紧拳头的状态如何，你的无名指和小指都会放松。由于在这种情况下，对手的攻击会对你造成伤害，你应该注意你的姿势。

实战姿势

侧视图

放大视图

放大视图

实战姿势可以根据哪条腿位于后面分为右站姿或左站姿。例如, 在右站姿中, 你需将右腿放在后面, 左腿放在前面, 上半身自然地转向右方。在左站姿中, 你需要将左腿放在后面, 右腿放在前面, 上半身自然地转向左方。

当你遇到对手时, 实战姿势可以根据你的姿势和对手姿势之间的关系分为反向姿势和同向姿势。在反向姿势中, 你和对手面对面, 相同的腿放在前面 (即你的左腿和对手的左腿或你的右腿和对手的右腿放在前面)。在同向姿势中, 你和对手面对面, 相对的腿放在前面 (即你的左腿和对手的右腿或你的右腿和对手的左腿放在前面)。

右姿势　侧视图　左姿势　侧视图

反向姿势　同向姿势

2 基本技术

1＿ 步法

步法是一种间接的方法, 用于将实战模式下的动作与踢腿连接起来, 使你能够向各个方向移动双腿, 如前、后、左、右方向, 或改变身体方向。

换句话说, 步法是指所有能削弱对手攻击力量、暴露对手弱点的腿部动作, 或者有利于有效攻击和反击的假动作等, 能让对手失去平衡。

(1) 原地步

原地步是一种在原地轻轻跳跃的动作。在这个动作中, 你需要把身体的重心放在前后脚的中心。随后, 你可以同时使用双腿或交替使用前腿和后腿来跳跃。原地步分为原地步及作为其变化形式的换势步。

■ 原地步

要完成这个动作, 你应该在实战姿势中用你的脚踝和膝关节轻轻地原地跳跃。

原地步法的连续动作

■ **换势步**

在这个动作中，你通过同时交叉你的前后脚来改变你的站姿（即，从你的左站姿到右站姿或从你的右站姿到左站姿）。

①　②　③　④

换势步的连续动作

(2) 前滑步

前滑步是一个前移身体重心的动作。在这个动作中，你需要双脚同时或只用前脚或后脚迈一步或多步。前滑步分为双脚前滑步、后脚前滑步、前脚前滑步、并脚前滑步。

■ **双脚前滑步**

在这个动作中，你同时向前移动双脚（你的前脚和后脚）。

①　②　③　④

双脚前滑步的连续动作

■ **后脚前滑步**

在这个动作中, 你用后脚迈一步, 使它位于你的前脚前面一步。

后脚前滑步的连续动作

■ **前脚前滑步**

在这个动作中, 你向前移动你的前脚。同时, 你的后脚自然地跟随前脚。

前脚前滑步的连续动作

■ **并脚前滑步**

在这个动作中, 你自然地向前移动前脚, 同时向前脚移动后脚。

并脚前滑步的连续动作

⑶ 后滑步

后滑步是一个后移身体重心的动作。在这个动作中，你需要双脚同时或只用前脚或后脚向后迈一步或多步。后滑步分为双脚后滑步、前脚后滑步、后脚后滑步、并脚后滑步。

■ 双脚后滑步

在这个动作中，你同时向后移动双脚（你的前脚和后脚）。

双脚后滑步的连续动作

■ 前脚后滑步

在这个动作中，你用你的前脚后退一步，把它放在你的后脚后面一步。

前脚后滑步的连续动作

■ **后脚后滑步**

在这个动作中, 你用你的后脚后退一步, 把它放在你的前脚后面一步。

后脚后滑步的连续动作

■ **并脚后滑步**

在这个动作中, 你向后移动你的前脚。同时, 你自然地向后移动你的后脚。

并脚后滑步的连续动作

(4) 转身步

转身步是一种向左或向右改变身体方向的动作。在这个动作中，你以前脚为中心，用后脚向背部或胸部的方向迈出一个转身步。转身步分为90度后转身步、90度前转身步、135度后转身步、135度前转身步。

■ 90度后转身步

在这个动作中，你将身体的重心放在前脚，并将后脚向背部方向移动90度角。

90度后转身步的连续动作

■ 90度前转身步

在这个动作中，你将身体的重心放在前脚，并将后脚向胸部方向移动90度角。

90度前转身步的连续动作

■ 135度后转身步

在这个动作中, 你将身体的重心放在前脚, 并将后脚向背部方向移动135度角。

135度后转身步的连续动作

■ 135度前转身步

在这个动作中, 你将身体的重心放在前脚, 并将后脚向胸部方向移动135度角。

135度前转身步的连续动作

2 __ 冲拳

冲拳是一种手部技术，可当你靠近对手时使用。当你作为一个动作挥出一拳时，这个拳被记为一分。在实战比赛中，这个技术也被用来有效地格挡对手的踢腿。特别是当你挥拳回应对手的踢腿时，你应该在短时间内用双手同时进行防御和攻击。因此，你应该培养立即判断最佳时机和调整与对手距离的能力。

(1) 后手冲拳

后手冲拳这个动作是指你用你的前手防御对手的踢腿，同时用你的后拳直接击打其躯干，并利用实战姿势中腰部的转动力。要在实战比赛中有效地打出后手冲拳，你应该控制你挥拳的方向，你前脚的运动，以及你后腿膝盖朝向你前脚膝窝的运动。你应该防止你的后拳的背部区域向上移动，背拳是用来击打对手的躯干的。你后拳的背部区域应该向外移动，方向与你在实战姿势中保持的手背方向相似。而且，你的臂肘要弯曲到一定程度（140度到160度），不要完全伸直。你前脚的运动是削弱对手攻击力量的一个重要因素，使你能够与对手保持较近的距离。因此，当对手试图踢你时，你应该把你的前脚移向对手。此外，后脚膝盖向前脚膝窝的自然运动表明，它伴随着身体重心的运动和腰部的转动力，这两者都是挥出有力一拳所必需的。这个时候要防止后脚后脚掌接触地面。

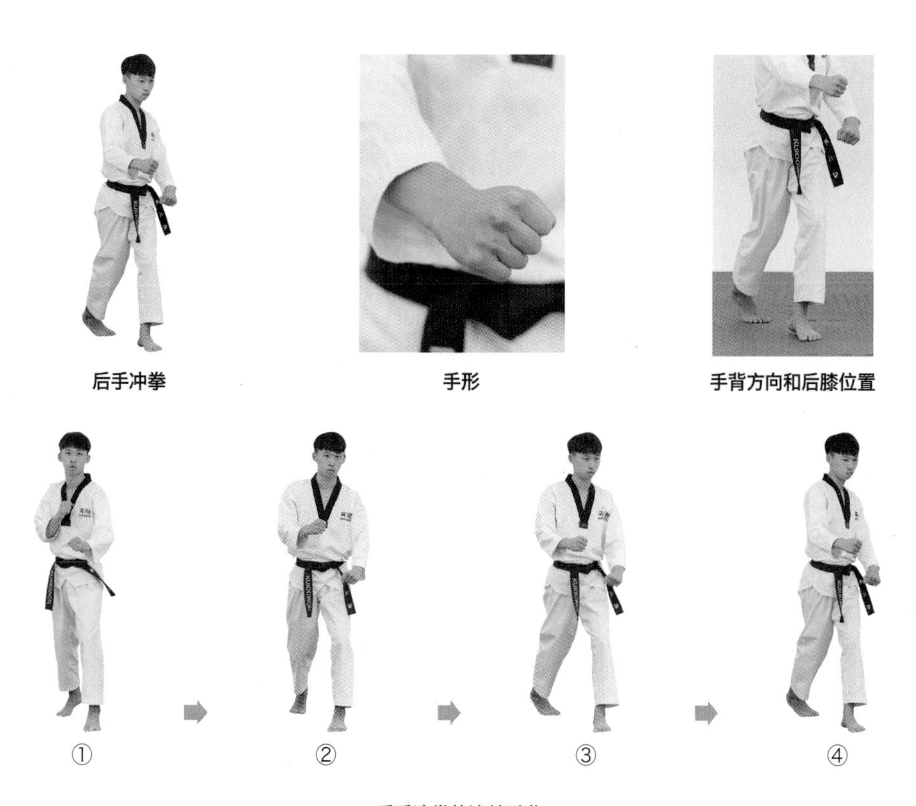

后手冲拳

手形

手背方向和后膝位置

①

②

③

④

后手冲拳的连续动作

(2) 前手冲拳

前手冲拳这个动作是指你用后手防御对手的踢腿，将上半身转向一侧，同时用前拳在实战姿势中击打对手的躯干。当你挥动前拳时，你将上半身的重心向前移动，自然地改变双脚的位置和角度。特别是，你前脚的运动和后手冲拳一样重要。因此，当对手试图踢你时，你应该把你的前脚斜移向对手。在大多数情况下，前手冲拳作为一个动作无法赢得一分。更确切地说，它主要是作为一种辅助方法来格挡对手的攻击或确保与对手有足够的距离进行踢腿。

前手冲拳

①　②　③

前手冲拳的连续动作

3 __ 腿法

踢腿主要用于竞技实战，以获得得分。特别是，运动员使用踝骨以下的腿部对对手进行攻击或反击。竞技实战最常用的踢法包括横踢、下劈、旋踢、推踢、并步横踢、双飞踢、旋风踢。

(1) 横踢

横踢是所有腿法中最快的腿法之一。它经常被用来对对手进行攻击或反击，适用于各种实战情况和距离。因此，横踢得分占比赛所有得分的很大一部分。由于跆拳道运动员需要在竞技实战中快速有力地进行横踢，支撑腿的运动比用于踢腿的外在表现更重要。因此，你应该像前踢一样快速向前移动，而不是转动支撑脚的前脚掌，以最小化你身体的转动半径。当你踢对手时，你的支撑脚掌的后半部分应该离开地面，以便更有力地踢向对手。特别是，当你支撑脚的后半部分附着在地面上时，你的臀部会向后移动，阻碍你用力踢腿和连续踢腿。

在竞技实战中，横踢有多种形式，如并步横踢、换势横踢、旋风踢、双飞踢、后脚反击横踢、前脚反击横踢、拉前脚横踢、反击双飞踢。

横踢的连续动作

(2) 下劈

下劈这个技术使你能够利用髋关节的灵活性从上向下踢对手。当你在实战比赛中做下劈时，确保不要将腿举到头顶或伸直攻击腿的膝盖。相反，你应该尽可能地弯曲和抬起你攻击腿的膝盖，使其几乎接触到你支撑腿的膝盖，并向对手的面部伸展。这时你需要看着对手的面部或前部，将支撑腿转35度到65度的角度，将支撑脚的后脚掌脱离地面。如果在下劈时你的后脚掌未离开地面，或脚的转动角度达到或超过90度，由于身体重心的向下运动，你将不能平稳地进行下劈。当你和对手为反向姿势时，你可以把下劈作为并步下劈，或者当对手试图向你做横踢时，你可以把下劈作为前脚反击下劈。

①　②　③　④

下劈的连续动作

(3) 后踢

后踢这个技术使你能够以前脚为轴，以180度的角度向后转动身体，向对手踢腿。在做后踢时，你应该尽可能地弯曲和抬起你踢腿的膝盖，使其几乎接触到你支撑腿的膝盖。同时要转腰，用踢击脚的后脚掌或脚掌来攻击对手。此时，你应该在不抬起下巴的情况下，越过肩膀向你想要踢腿的方向侧瞥一眼。根据目标点和踢法，后踢可以作为攻击和反击手段。对于攻击后踢，你需要通过预判对手的向后移动来建立目标点。因此，你应该通过迈出一步来完成快速而长的踢腿，而不是原地进行后踢来攻击对手。步法帮助你快速移动身体以攻击目标，并直接后踢。当你迈出一步时，你应该以160度到180度的角度转动你的支撑脚后脚掌，以指向对手。当你迈出一步后向后踢时，你应该基于你支撑脚的前脚掌保持身体平衡，像滑动一样移动你的身体。而且，如果你把肩膀转向和踢腿相同的方向，你的腰部和臀部会过度扭曲。在这种情况下，你不能给予对手一记长而准确的攻击后踢。因此，你应该在踢腿的方向上稍微向内拉你的肩膀来踢腿。

当你将后踢作为反击踢时，确定反击踢的目标点相当重要。一般来说，目标点不是对手站的位置，而是对手试图攻击你的躯干时躯干所在的位置。换句话说，你反击后踢的目标点是你位置前方大约90厘米到1米的地方。因此，当你做反击后踢时，你应该通过考虑对手躯干的流动来踢离你位置大约90厘米到1米的虚拟目标点。在反击后踢时，你可以把一只脚放在地上或用它来跳跃。相应地，你需要在一定程度上弯曲膝盖。

后踢的连续动作

反击后踢(原地)

反击后踢(跳跃)

(4) 后旋踢

后旋踢这个腿部技术使你能够用脚掌或后脚掌踢对手的头，方法是用髋关节转动身体，就像你在鞭打、弯曲和拉伸膝盖一样。后旋踢后旋勾踢分为前、侧、后旋踢。当你做后旋踢时，你应该确保你身体的重心不移动，并防止你支撑脚的后脚掌着地。在实战比赛中，后旋踢主要用作反击踢。你可以用前脚为轴，将身体和腰部向后旋转360度，进行后旋踢。这个高水平的技术需要全身协调、集中运动和骨盆灵活性。要进行这种踢腿，你应该像后踢一样踢向对手的头部，用你的腰翻转你的腿和腰，像拉弓一样。此时，考虑到对手头部的流动，你应该在距离你位置大约90厘米到1米的地方做后旋踢；这类似于后踢的情况。在反击后踢时，你可以把一条腿放在地上或用它来跳跃。相应地，你需要在一定程度上弯曲膝盖。至于你的视线方向，你可以在进行后旋踢之前看着对手的面部。但是，当你进行踢腿时，你应该在对手进攻时不看对手的面部去踢击目标点。

后旋踢的连续动作

(5) 推踢

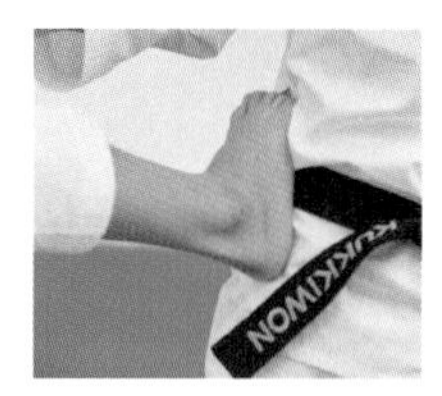

推踢这个腿部技术通过向内弯曲和抬起前脚或后脚的膝盖，使你能够用脚掌推动对手髂骨的上部。当你做推踢时，你身体的重心应该面向对手。至于你的脚掌踢对手身体时的角度，理想的角度是保持45度。在实战比赛中，推踢可以分为并步推踢和后脚推踢。做并步推踢时，将后脚拉向前脚（作为反向姿势的轴线），在对角线方向以90度角抬起前膝，并向对手髂骨内侧（对手体侧和肚子之间的部位）做前踢。做后脚推踢时，向前脚（作为反向姿势的轴线）在对角线方向以90度角抬起后膝，并向对手髂骨内侧（对手体侧和肚子之间的部位）做推踢。此外，跆拳道运动员不太可能通过推踢来得分。相反，使用这个技术的主要目的是给予对手一记稳定的先手攻击，打破对手的平衡。当对手做后踢反击你时，你可以做并步（后脚）推踢来格挡对手的后踢。如果对手被你的推踢击中后失去平衡向后移动，你可以进行连续踢击。

并步推踢的连续动作

后脚推踢的连续动作

(6) 并步横踢

并步横踢这个技术使你能够在反向姿势中，以对手躯干作为主要攻击目标用前脚进行攻击。你可以通过将后脚拉向用于踢腿的前脚，在对角线方向以90度角抬起前膝，并向内扭转腰部来进行并步横踢。当你完成并步横踢时，你应该防止肩膀摇晃，快速前拉你的后脚，这样你的前脚就可以灵活地伸展来踢腿。为了增加并步横踢的力量，你应该在踢腿的那一刻转动腰部以防止你的臀部向后移动。踢对手肚子内侧比踢对手的侧面更容易得分。

①　②　③

并步横踢

(7) 双飞踢

双飞踢这个技术使你能够通过在空中抬起身体，用双腿交替做横踢。这个技术既可用作反击踢，也可用作攻击踢。根据攻击的位置，双飞踢可以分为中断双飞踢和上段双飞踢。对于首次双飞踢动作，根据踢腿的位置，它也可以分为前脚双飞踢和后脚双飞踢。在做前脚双飞踢时，以后脚作为轴线，用前脚做双飞踢攻击对手的躯干。相应地，你需要用后脚跳跃，后脚作为轴线，弯曲后脚的膝盖，用它攻击对手的躯干或头部，就像在空中做横踢一样。相比之下，做后脚双飞踢时，用前脚作为轴线，用后脚向对手的躯干做横踢。然后，你需要用你的前脚在空中跳跃，用它来攻击对手的躯干或头部。做双飞踢时，双腿都需离开地面。出于这个原因，你应该保持平衡，以避免在踢腿时或踢腿后摔倒。另外，你的前脚踢腿的力量不能和你的后脚踢腿的力量一样。因此，当你第一次踢腿时，你应该使用六七成的力量。当你进行第二次踢腿时，你应该用相应的腿准确而有力地踢目标点。

后脚双飞踢的连续动作

(8) 旋风踢

旋风踢是一种腿部技术，它使你能够利用跳跃和向后转身时产生的转动力来做横踢。要在实战比赛中运用这个技术，你需要预判对手的向后运动来做长距离转身踢。因此，类似于你做攻击后踢的方式，你应该通过迈出一步并使用长而快的转身来完成旋风踢。这个技术要求你控制与对手的距离，抓住最佳时机。为了控制与对手的距离，你应该跳一步，后脚向后转动。同时，你应该利用前脚作为轴从地面产生的排斥力，将后腿的膝盖向前推。由于旋风踢的动作幅度很大，对手很可能会反击你。因此，在旋风踢之前，需要仔细判断形势。

旋风踢的连续动作

3 应用技术

在实战比赛中，要得分就必须准确地攻击对手的得分区域。为此，你需要进一步提升自己的技能，能够在充满变化的环境中熟练地完成踢腿和冲拳动作，因为这样的环境比静态环境更具挑战性。

1 应用步法

应用步法是指以简单或复杂的方式组合和连接单步动作而完成的一系列步法动作。为了完成应用步法，你要摆出一个自然的实战准备姿势，并在原地步的基础上向前或向后迈出一步。然后，你可连续做各种类型的向前、向后和转身步法。在此过程中，要保持身体平衡，平稳地移动身体的重心，准确快速地连接步法。

(1) 前滑步接应用步法

前滑步接应用步法是指前滑步后连接前滑步，后滑步，转身步的应用动作。在做前滑步时，你身体的重心会向前移动。因此，你应该快速向前、向后或向侧面移动身体的重心，以完成连续的步法动作，然后再做前滑步。在实战比赛中，你需要应用这些身体动作，在连续攻击期间或之后平稳地躲避对手的反击，或对对手的反击做出反应并抓住反击对手的机会。

双脚前滑步接应用步法

双脚前滑步	+	"前滑步" "后滑步" "转身步"	⇒	- 双脚前滑步及后脚前滑步 - 双脚前滑步及并脚前滑步 - 双脚前滑步及后脚后滑步 - 双脚前滑步及并脚后滑步 - 双脚前滑步及后脚后滑步 - 双脚前滑步及90度(右_转身步 - 双脚前滑步及135度左(右)转身步

双脚前滑步及后脚前滑步的连续动作

后脚前滑步接应用步法

后脚前滑步	+	“前滑步” “后滑步” “转身步”	⇒	- 后脚前滑步及双脚前滑步 - 后脚前滑步及并脚前滑步 - 后脚前滑步及并脚后滑步 - 后脚前滑步及后脚后滑步 - 后脚前滑步及90度左(右)转身步 - 后脚前滑步及135度左(右)转身步

后脚前滑步及并脚前滑步的连续动作

并脚前滑步接应用步法

并脚前滑步	+	“前滑步” “后滑步” “转身步”	⇒	- 并脚前滑步及后脚前滑步 - 并脚前滑步及并脚前滑步 - 并脚前滑步及并脚后滑步 - 并脚前滑步及后脚后滑步 - 并脚前滑步及90度左(右)转身步 - 并脚前滑步及135度左(右)转身步

并脚前滑步及后脚前滑步的连续动作

(2) 后滑步接应用步法

后滑步接应用步法是指后滑步后连接前滑步, 后滑步, 转身步的应用动作。与做前滑步的情况相反, 做后滑步时你的身体重心会后移。为此, 在身体重心因后滑步而向后移动的情况下, 你应该通过前滑步向前移动身体重心或再连续做后滑步和转身步。运用这些身体动作是为了在躲避对手的攻击后抓住反击的时机, 或者避免对手的连续攻击。因此, 你应该注意保持身体平衡, 控制与对手的距离。

双脚后滑步接应用步法

双脚后滑步	+	"前滑步" "后滑步" "转身步"	⇒	- 双脚后滑步及后脚前滑步 - 双脚后滑步及并脚前滑步 - 双脚后滑步及前脚后滑步 - 双脚后滑步及并脚后滑步 - 双脚后滑步及90度(右)转身步 - 双脚后滑步及135度(右)转身步

双脚后滑步及前脚后滑步的连续动作

前脚后滑步接应用步法

前脚后滑步	+	“前滑步” “后滑步” “转身步”	⇒	- 前脚后滑步及后脚前滑步 - 前脚后滑步及并脚前滑步 - 前脚后滑步及并脚后滑步 - 前脚后滑步及后脚后滑步 - 前脚后滑步及90度左(右)转身步 - 前脚后滑步及135度左(右)转身步

前脚后滑步及并脚后滑步的连续动作

并脚后滑步接应用步法

并脚后滑步	+	“前滑步” “后滑步” “转身步”	⇒	- 并脚后滑步及后脚前滑步 - 并脚后滑步及并脚前滑步 - 并脚后滑步及前脚后滑步 - 并脚后滑步及后脚后滑步 - 并脚后滑步及90度左(右)转身步 - 并脚后滑步及135度左(右)转身步

并脚后滑步及前脚后滑步的连续动作

2 __ 步法动作接应用踢击

步法动作接应用踢击动作包含各种用于准备实战比赛的步法。因此，该技术并非用于没有变化的情况。要做这项技术，先自然地摆出实战准备姿势。然后，逐渐做涉及各种步法的踢腿，如单一或连续踢腿、反击踢以及包含攻击和反击踢在内的一系列踢击。这时，你应该交替运用左右站姿。在步法动作中，你也应该积极地加入一些不规则的假动作。此外，你应该使用各种目标（标靶或脚靶等）进行训练，以提高踢腿的准确性。还可以应用各种类型的训练队形（例如，正面队形、两人一组的队形和自由队形）来提高训练效率和兴趣水平。

(1) 步法动作接单次攻击

- 原地步
- 双脚前滑步
- 前脚前滑步
- 并脚前滑步

＋

- 横踢（躯干、头部）
- 下劈
- 后踢
- 后旋踢
- 并步横踢（躯干、头部）
- 后脚双飞踢
- 旋风踢
- 并步下劈
- 推踢（并步或后脚推踢）
- 后手冲拳

(2) 步法动作接单次反击

- 原地步

＋

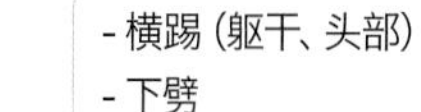

- 横踢（躯干、头部）
- 下劈
- 后踢
- 后旋踢
- 并步横踢（躯干、头部）
- 后脚双飞踢
- 旋风踢
- 并步下劈
- 推踢（并步或后脚推踢）
- 后手冲拳

- 双脚后滑步
- 后脚后滑步
- 并脚后滑步

＋

- 用前脚或后脚做反击横踢（躯干、头部）
- 前脚反击下劈
- 反击双飞踢（用前脚或后脚）

(3) 步法动作接连续攻击

- ·原地步
- ·换脚前滑步
- ·双脚前滑步
- ·前脚前滑步
- ·并脚前滑步

\+

- 横踢（躯干、头部）
- 并步横踢
- 下劈
- 并步下劈
- 双飞踢
- 并步推踢
- 后脚推踢

\+

- 横踢（躯干和头部）
- 后踢
- 后旋踢
- 并步横踢
- 双飞踢
- 旋风踢
- 并步下劈
- 冲拳（正面或背面）

\+

- 旋风踢

\+

- 后踢
- 后旋踢

(4) 步法动作接连续反击踢

- ·原地步
- ·换脚前滑步
- ·双脚后滑步
- ·前脚后滑步
- ·后脚后滑步
- ·并脚后滑步

\+

- 后脚反击横踢
- 前脚反击横踢
- 前脚反击下劈
- 反击双飞踢

- 后脚反击横踢
- 前脚反击下劈
- 反击双飞踢

(5) 步法动作接复合攻击及反击踢击

- ·原地步
- ·换脚前滑步
- ·双脚前滑步
- ·前脚前滑步
- ·并脚前滑步
- ·快速前滑步
- ·并脚后滑步

\+

- 攻击+攻击+攻击
- 攻击+攻击+反击踢
- 攻击+反击踢+攻击
- 攻击+反击踢+反击踢

- ·原地步
- ·换脚前滑步
- ·双脚后滑步
- ·前脚后滑步
- ·后脚后滑步
- ·并脚后滑步

\+

- 反击踢+攻击+攻击
- 反击踢+攻击+反击踢
- 反击踢+反击踢+攻击
- 反击踢+反击踢+反击踢

4 战术

策略是指为达到某一目标而采取的措施或方法。实战策略是指在实战比赛中为实现目标而追求的一套完整方法 (即措施、方法和行为)。要赢得实战比赛, 在一对一的实战比赛中, 考虑到对手的姿势和动作, 你应该通过对对手的攻击进行先发制人的攻击或反击来获得比对手更多的分数。

1 攻击战术

在实战比赛中, 对手的动作可以根据情况采取不同的形式。根据攻击者的动作 (踩, 踢等), 对手的动作可以分为原地站立、做后滑步、或靠近对手运动员以格挡攻击的动作。攻击战术是根据对手的动作进行的先发制人的攻击行为, 目的是获得分数。这些战术是根据实战姿势的不同方式进行制定的。

为了有效做攻击战术, 你应该根据对手的动作选择合适的攻击技术, 抓住最佳攻击时机, 并控制与对手的距离。因此, 训练攻击战术需要一个穿戴躯干保护装备的辅助者, 以创造与实际实战比赛相似的氛围 (距离, 姿势等)。辅助者还应根据攻击战术进行积极的动作, 帮助运动员把握做有效攻击的时机和适当的攻击距离。

(1) 反向姿势攻击战术

反向姿势中的攻击战术使你能够在你和对手面对面时, 且你的左脚和对手的左脚或你的右脚和对手的右脚均在前时, 对对手的躯干或头部进行先发制人的攻击。通过在反向姿势中应用攻击战术, 你可以在对手站立不动或稍微或明显后退的情况下, 对对手应用适当的先发制人攻击。

对手原地站立时

一. 并步横踢

并步横踢是反向姿势中用于攻击对手的最基本踢击技术。这个技术使你能够通过不断的移动让对手难以发现攻击你的时机，并踢击对手的躯干或头部。当你进行并步横踢时，确保不要将后脚离开地面，并用前脚按所示先后顺序踢击对手。进行并步横踢的最理想过程是同时让两只脚滑离地面，在后脚着地的同时用前脚踢击对手。这样，通过减少上半身的移动，并运用迅捷简洁的动作，而不是向后移动身体的重心并进行大幅度的动作，你可以更有效地进行并步横踢。此外，你应该进行后续动作的训练，以便在攻击对手后快速靠近对手或向后迈步。通过进行这种后续动作，你可以对对手进行反击或阻止对手的反击。有时，在你成功地用并步横踢攻击对手的躯干后，你可能会立即察觉到对手的犹豫态度。这时，你可以用之前用于攻击对手躯干的腿部，再次对对手的躯干或头部进行高效的攻击。

并步横踢的连续动作

二. 拉前脚横踢(躯干、头部)

拉前脚横踢是当你与对手的距离在1米以内时进行的踢击技术。这个技术可以有效地攻击采取攻击姿势（对手身体重心向前倾斜的状态）的对手。要做这个技术，保持后脚着地，将后脚掌转向采取攻击姿势的对手，不要频繁向后移动。同时，大幅度转动骨盆，用前脚对对手进行最长距离的踢击。当你进行拉前脚横踢时，要防止后脚在前脚之前移动。此外，当抬起前脚并用它踢击时，你的身体重心会移动。基于身体重心的瞬间移动，后脚后脚掌应自然向对手移动。

拉前脚横踢的连续动作

三. 并步下劈

并步下劈是在反向姿势中能够攻击对手头部的代表性技术。你需要通过最小化上半身的运动，以类似进行并步横踢的方式，迅速而简单地做这一踢击。做并步下劈的最理想站姿如下。首先，同时将两只脚从地面上抬起，确保上半身不向后倾斜。同时，尽量弯曲并抬起前腿的膝盖，向对手的头部推击。然而，当你做并步下劈时，上半身比做并步横踢时更为笔直。因此，对手很可能通过进行反击踢，如后踢或后旋踢来得分。因此，你可以将并步下劈与并步推踢相结合进行训练，并步推踢是一个可以格挡基于旋转的反击踢，如后踢，或打乱对手平衡的技术。

并步下劈的连续动作

并步推踢的连续动作

四. 换势横踢

换势横踢这个技术使你能够通过将反向姿势转换为同向姿势，用后脚进行横踢。在应用这个技术时，你应该快速做换脚前滑步，并同时进行横踢。此外，在比赛中，当对手试图用前脚进行反击踢时，你可以通过做改变姿势的假动作，应用换势横踢，诱使对手进行前脚反击踢，然后攻击对手的躯干或头部。因此，关键是做明显的假动作，使对手相信你肯定即将对对手进行换势横踢。你可以根据对手是否抬起前脚以不同方式来进行换势横踢。

换势横踢的连续动作

对手向后移动时

一. 后脚双飞踢

后脚双飞踢这个技术使你能够用前脚作为轴心，用后脚横踢对手躯干，然后在腾空后用前脚在以对手的躯干或面部为目标进行二次踢击。为了成功应用这个技术，你应该专注于你的第二次踢击。特别是，你应该自然地转动腰部和骨盆，以施展有力的后脚双飞踢。此外，你在训练时需要考虑对手站立或稍微向后移动的情况。

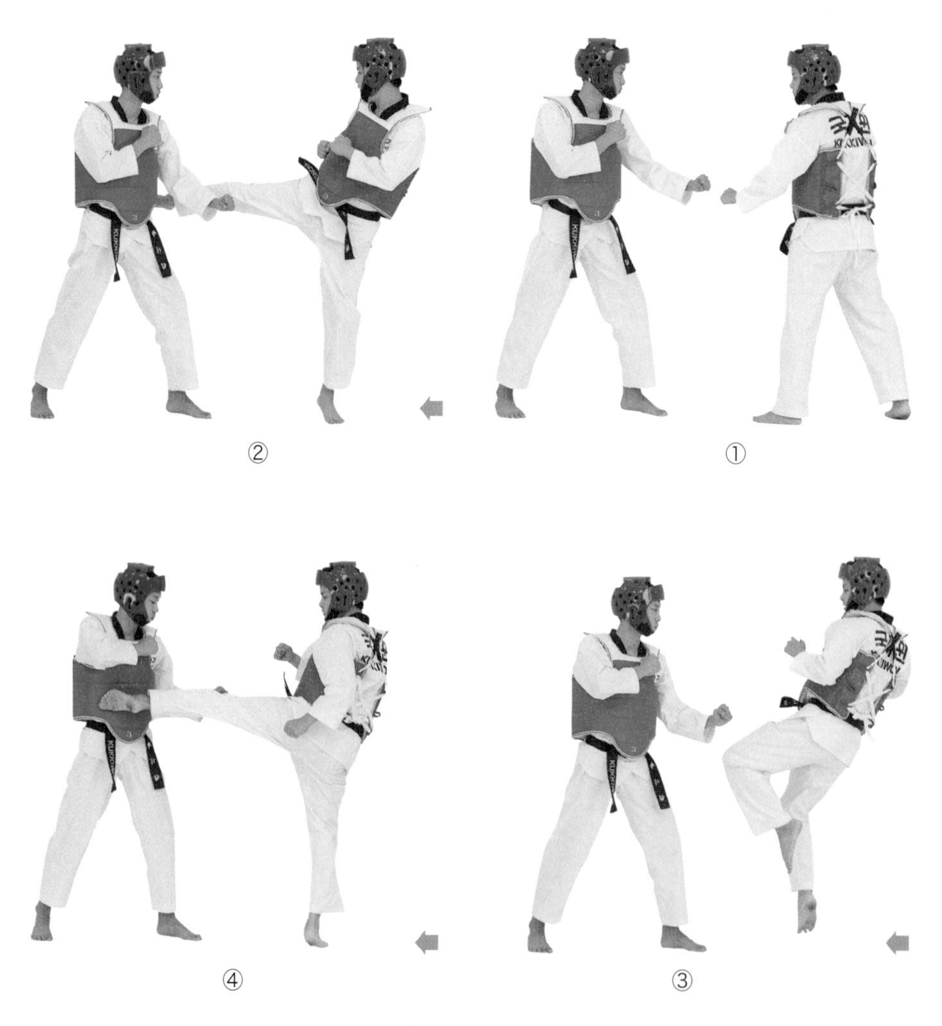

后脚双飞踢的连续动作

二. 双脚前滑步接并步横踢

在跆拳道的实战比赛中，选手们不断在彼此之间的1米距离内做步法动作，以在实战比赛中建立优势地位。也就是说，步法动作的目的是为了防止对手进行有效的攻击，并确保足够的距离以有效地攻击对手。有趣的是，如果你靠近对手以进入踢击距离来攻击对手，对手总是倾向于向后移动而不对你进行踢击，以与你保持的一定距离，尽管因为距离的缩短而有机会攻击你。双脚前滑步接并步横踢是一种利用在实战比赛中双方保持一定距离的心理偏好的踢击技术。当对手稍微后退以应对你的前滑步时，你可以通过结合短距离的双脚短前滑步接并步横踢来攻击对手。要做这个技术，在开始实战比赛时迈步。试着以双脚同时轻轻扫过地面的方式，朝着对手的方向迈出大约10到15厘米，做前脚短前滑步。当对手向后移动时，向对手做并步横踢。要将双脚前滑步和并步横踢作为一个连续的动作做，双脚前滑步的动作应迅速。当你训练做这个技术时，可以与其他踢击（如并步下劈）相结合来练习并步横踢。

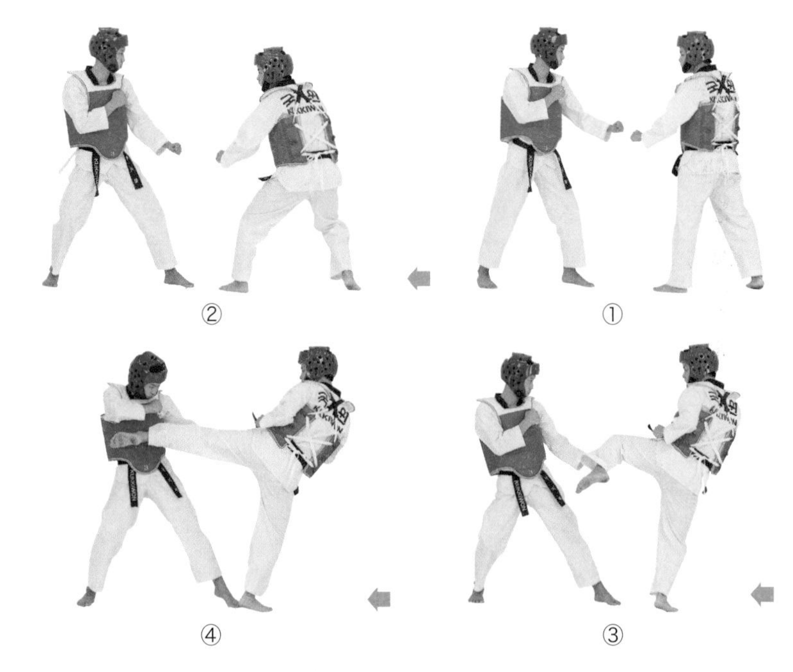

双脚前滑步接并步横踢的连续动作

双脚前滑步接并步下劈的连续动作

三. 并脚前滑步接旋风踢

旋风踢是基于跳跃和360度逆时针转身时产生的转动力而衍生出的横踢变体技术。这个技术的缺点在于在击中对手之前需要较长的时间来做踢击动作。然而，如果对手明显向后移动或预计会这样做，那么可以将并脚前滑步接旋风踢组合起来作为一个有效的技术来攻击对手。当你做并脚前滑步接旋风踢时，应注意控制前脚后脚掌的方向和转身后脚的膝盖的移动。具体来说，前脚后脚掌应该朝向对手，在进行并脚前滑步时有助于更方便地进行转身，与一般的并脚前滑步不同。转身后脚的膝盖的移动是控制与明显向后移动的对手之间距离的重要因素。要在实战比赛中成功应用这个技术，你需要将对手推向场地的边缘。当你使用这个技术攻击距离边界线1到1.5米的对手时，得分的可能性会增加。

并脚前滑步接旋风踢的连续动作。

(2) 同向姿势攻击战术

在同向姿势下，你和对手的前脚和后脚相对，你的左脚和对手的右脚，或者你的右脚和对手的左脚位于前方，然后采取有关攻击的策略，对对手的躯干或头部进行先发制人的攻击。在同向姿势下，当对手站在原地、稍微向后移动或大幅度向后移动，或者向你靠近时，你可以使用不同的技术进行先攻。

对手原地站立时

一. 后脚横踢

后脚横踢是在同向姿势下攻击对手最基本的踢击技术。类似于反向姿势中的并步横踢，后脚横踢剥夺了对手攻击你的时机，并打击对手的躯干。当你练习进行横踢时，应特别注意通过步法和假动作来抢夺辅助者攻击你的时机。辅助者还应创造出与实际实战比赛相似的氛围。在训练过程中，运动员应记住后脚横踢可以与连续的踢击结合起来。

后脚横踢的连续动作

二. 后脚推踢

在同向姿势下，你可以进行后脚推踢，打破对手的平衡并对对手进行连续踢击，而不是仅仅基于先发制人攻击来得分。这个技巧有效地阻止了对手的转身反击踢，并增加了成功进行后脚横踢的可能性。当你进行后脚推踢时，你应该准确地将推踢踢在对手上髂骨内侧，从而打破对手的平衡，而不是在对手的其他部位强力推踢。

后脚推踢的连续动作

三. 短前脚双飞踢

在同向姿势下, 你可以进行短前脚双飞踢。具体是使用前脚向对手的侧面进行横踢, 以后脚作为支点, 同时跳起并紧紧弯曲后腿的膝盖, 然后伸直膝盖踢击对手的躯干和头部。这个技术增加了基于单次攻击得分的可能性。当你练习这个技术时, 应该紧紧弯曲用于第二次攻击的腿的膝盖, 并伸直它来踢击对手, 因为对手在这种情况下不会向后移动。当你在空中进行第二次踢击时, 你应该在着地后立即采取适当的姿势。

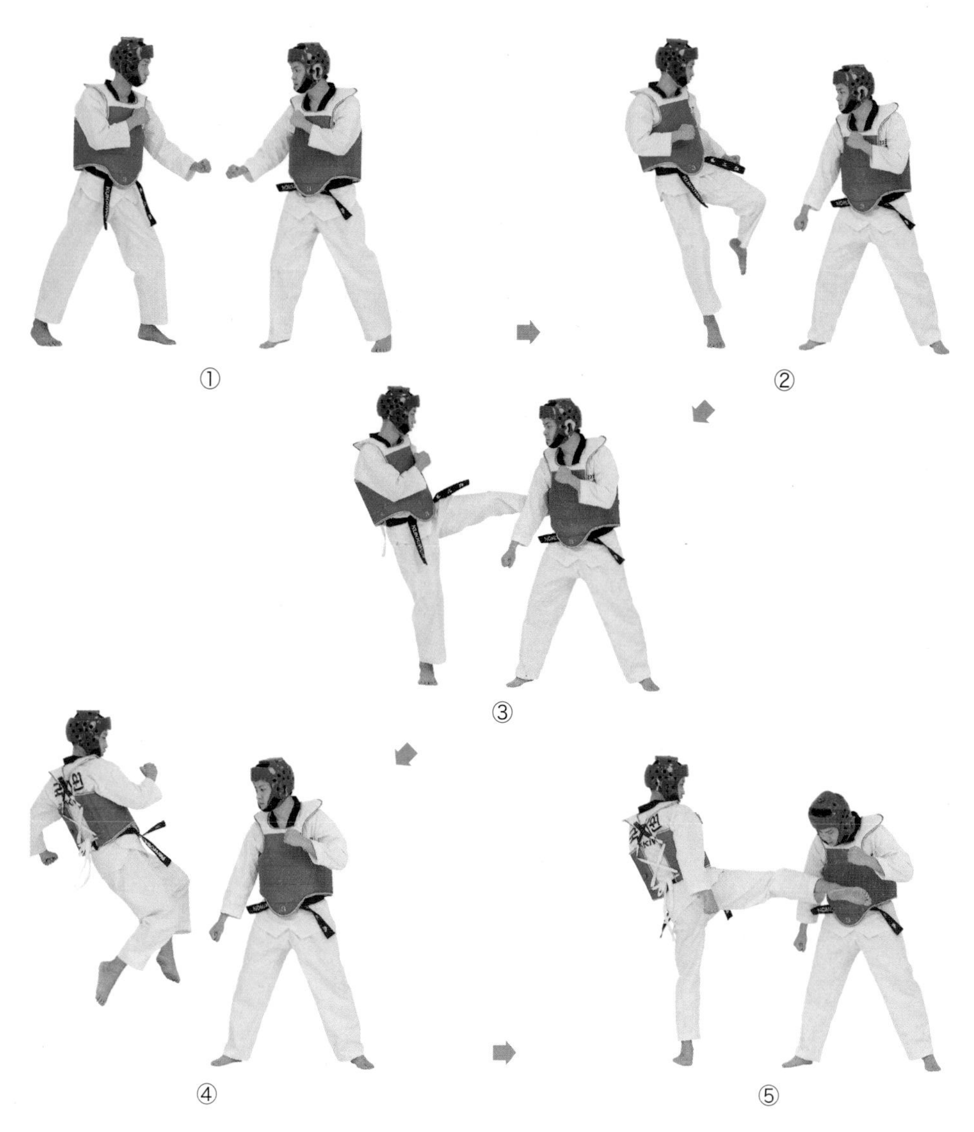

短前脚双飞踢的连续动作

四. 换势接并步横踢

换势接并步横踢技术是指快速进行换势步后迅速连接并步横踢的连续动作。这个技术要求你快速进行换势步，并迅速连接并步横踢。关于踢击方法和技巧，请参考并步横踢部分的解释。

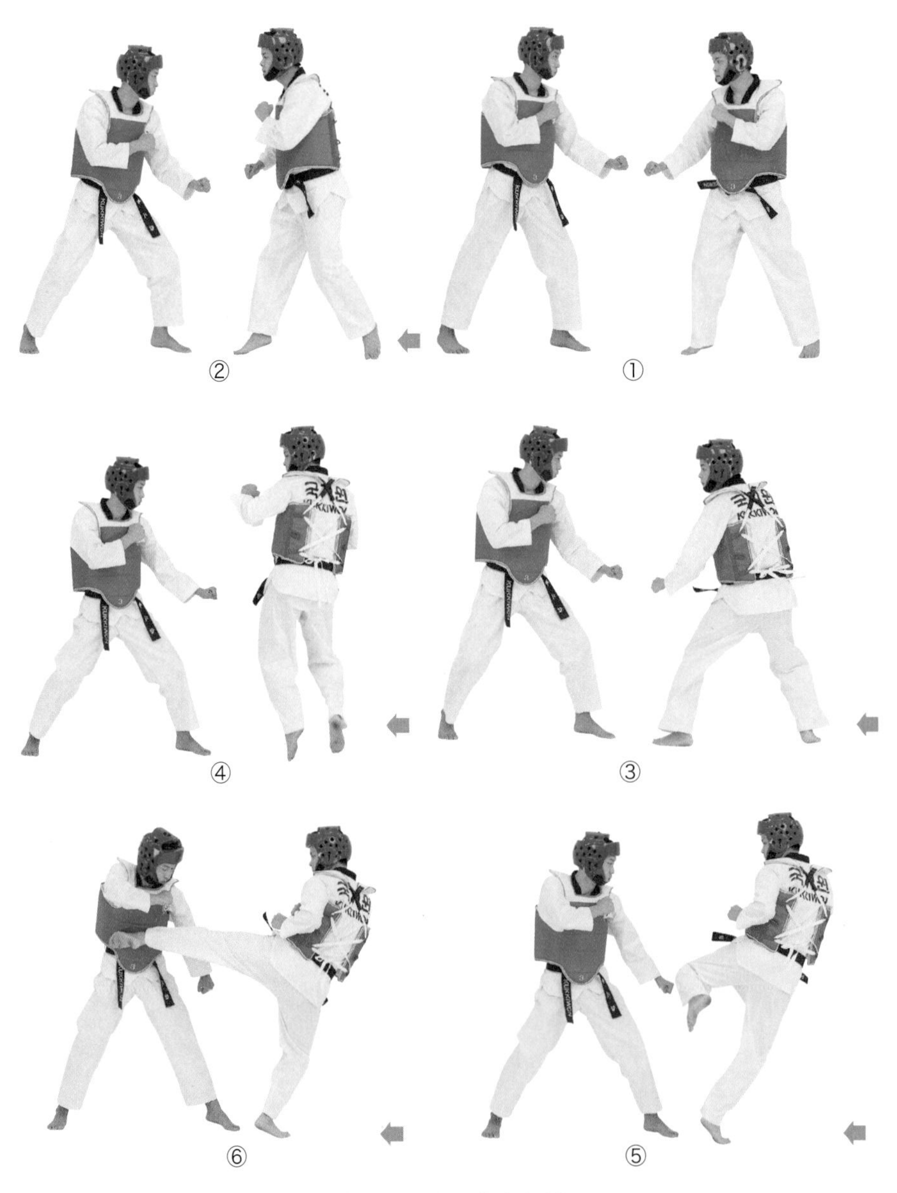

换势步接并步横踢的连续动作

五. 后踢攻击侧面

后踢攻击侧面这个攻击技术通过以前脚为支点，向后以180度角度转动身体，并用后脚踢击对手的侧面。

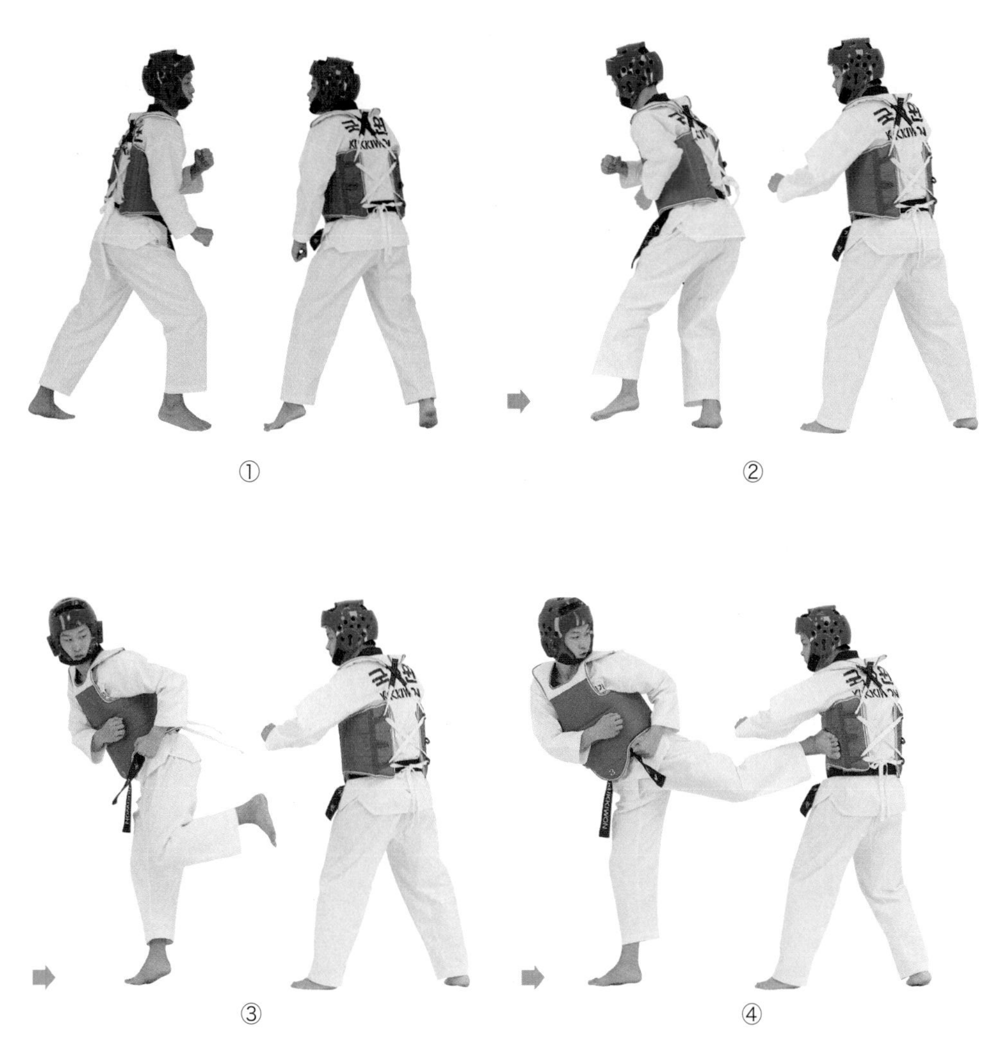

后踢攻击侧面的连续动作

六. 前滑步接后手冲拳

前滑步接后手冲拳这个攻击技术，是通过前脚或两脚做前滑步，进行攻击性冲拳，而不是防御冲拳，是使你能够以对手的躯干为目标进行攻击的技术。

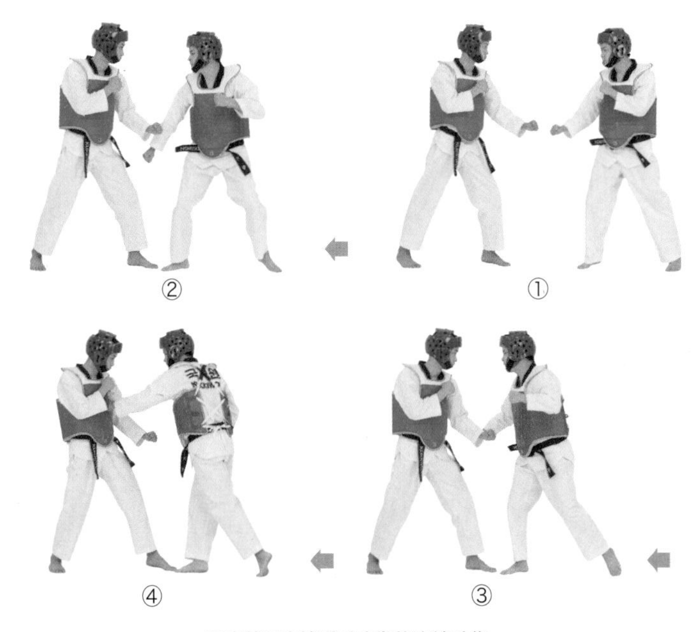

双脚前滑步接后手冲拳的连续动作。

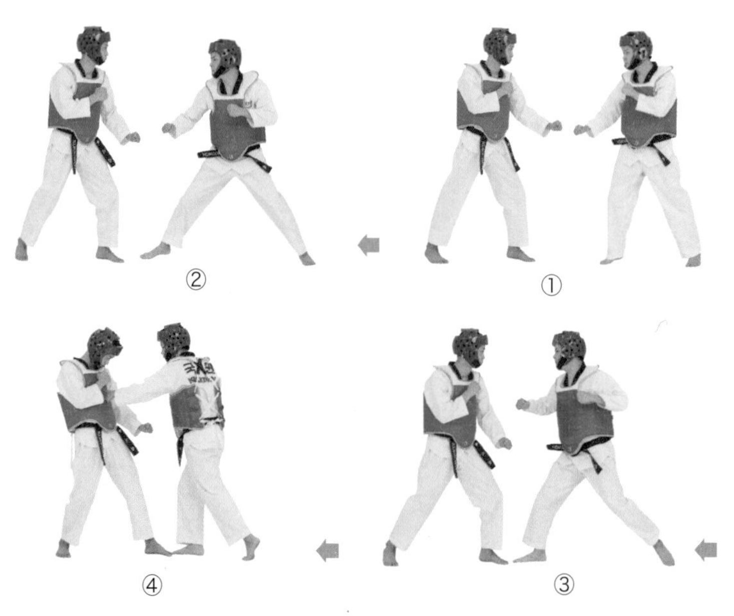

前脚前滑步接后手冲拳的连续动作。

对手向后移动时

一. 长前脚双飞踢

与使你能够踢击站在原地的对手的短前脚双飞踢不同，长前脚双飞踢使你能够考虑对手稍微后退的距离来攻击对手。尽管长前脚双飞踢的技巧与短前脚双飞踢的技巧类似，但两者之间的区别在于，在长前脚双飞踢中，你通常会弯曲用于第二踢的膝盖并有力地踢击对手的躯干或头部。

长前脚双飞踢的连续动作

二. 后脚前滑步接并步横踢

当你做后脚前滑步接并步横踢时, 你可以考虑对手稍微后退的位置来踢击对手。在这方面, 这个技术与长前脚双飞踢类似。当你应用这个技术时, 你需要迅速做后脚前滑步, 并通过并步横踢踢中对手的躯干。

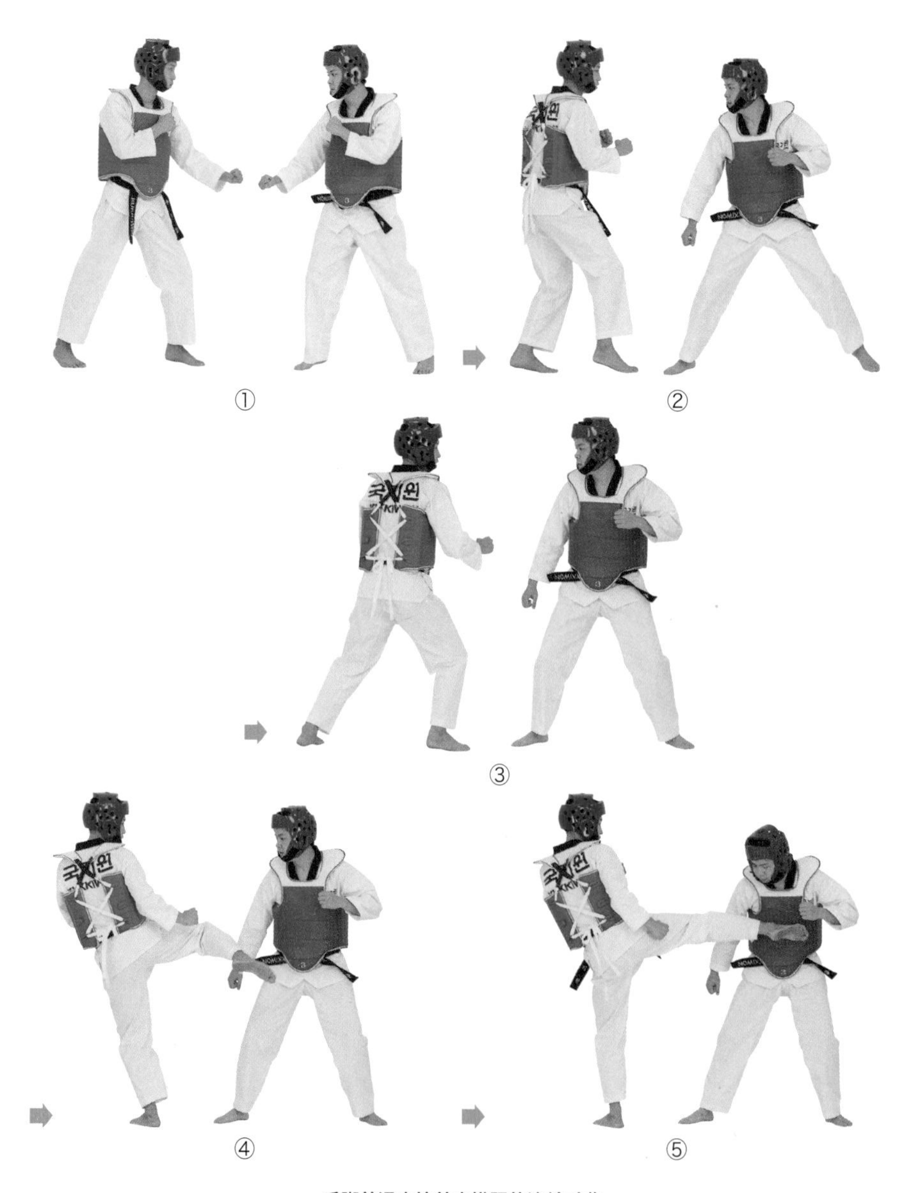

后脚前滑步接并步横踢的连续动作

三. 后脚前滑步接旋风踢

当你做后脚前滑步接旋风踢时，你可以考虑对手大幅后退的距离来踢击对手。为了应用这个技术，你应该迅速做后脚前滑步并同时用旋风踢攻击对手的躯干。

后脚前滑步接旋风踢的连续动作

对手靠近时

一. 短下劈

通过将腿弯曲得比一般的下劈更短，你可以向对手的面部做短下劈。当对手试图靠近你或用前拳攻击你时，你可以应用这个技术。

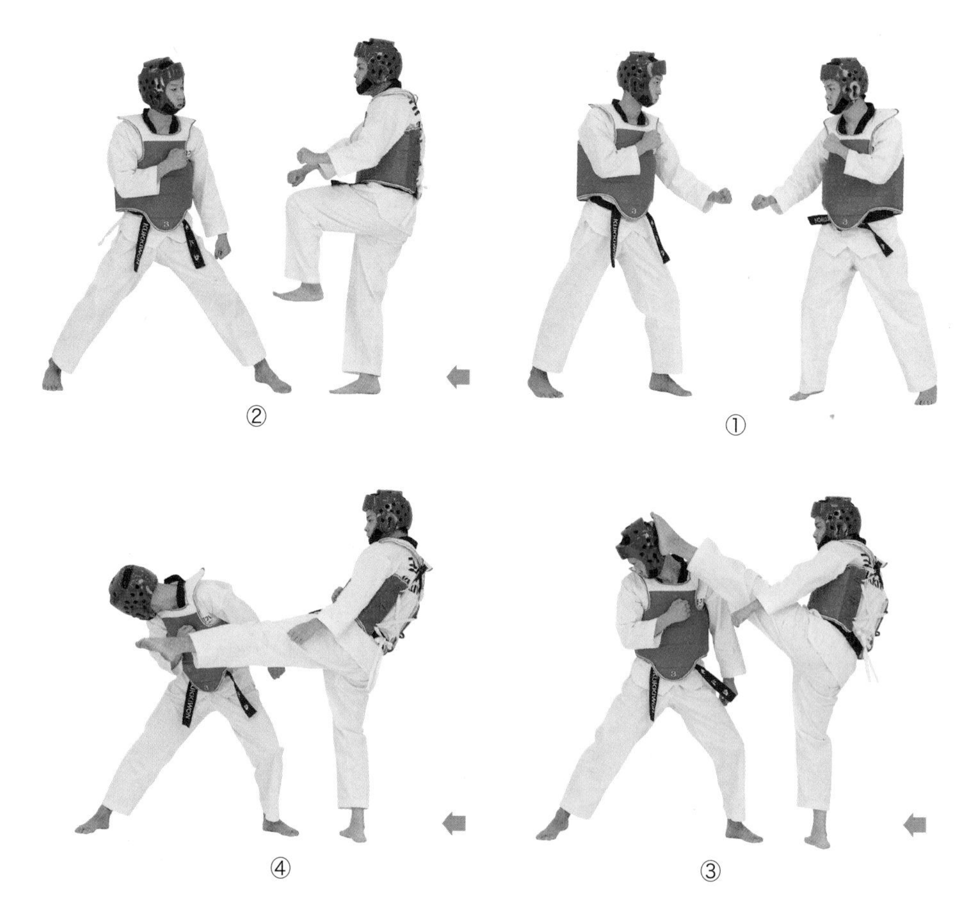

短下劈的连续动作

二. 短前脚前滑步接后手冲拳

当你做前脚短前滑步接后手冲拳时，你可以利用前脚短前滑步的力量向对手的躯干进行击打。该技术适用于对手靠近你的情况。在这个时候，你应该通过考虑对手预计要靠近你的距离来控制前脚迈出的距离。此外，你应该将前脚短前滑步接后手冲拳作为一个连续动作做。

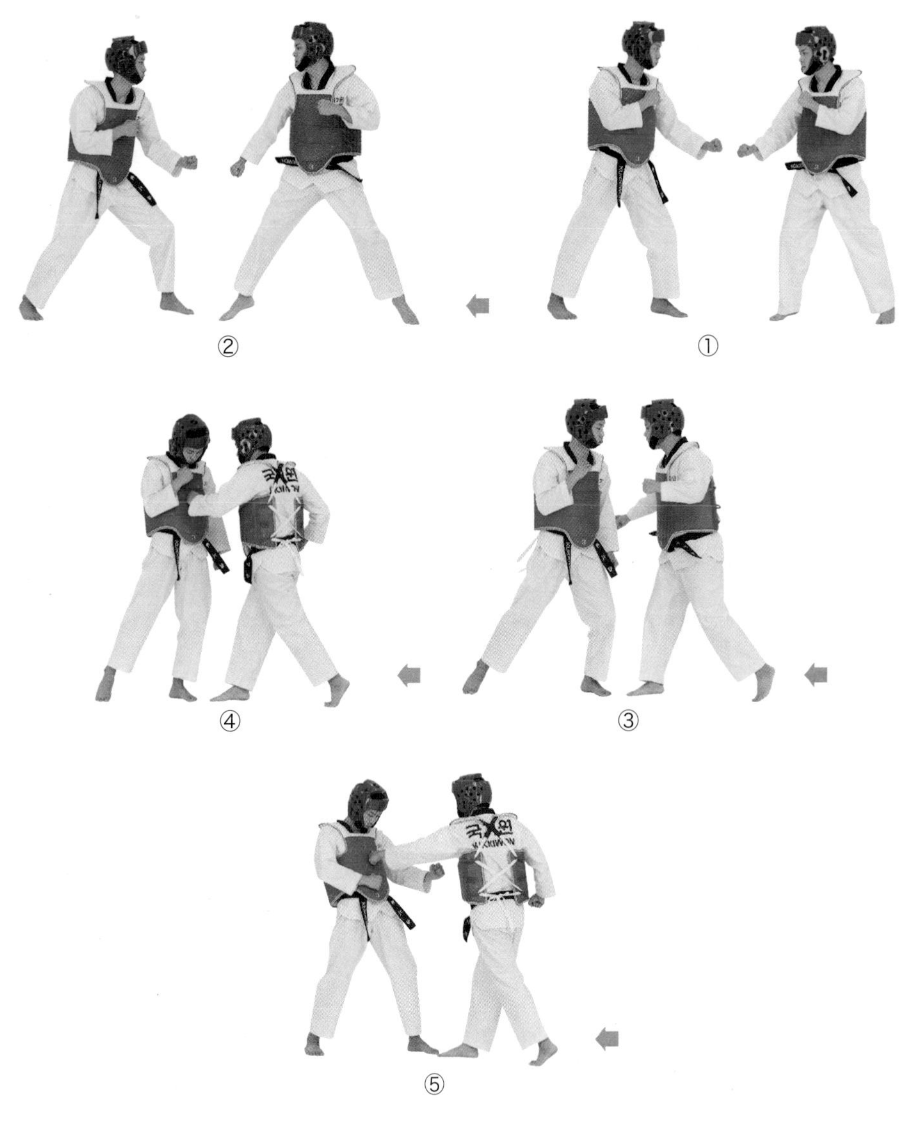

短前脚前滑步接后手冲拳的连续动作

2 反击踢战术

反击踢是一种在对手发起攻击时进行反击的技术。你可以通过站在原地或后退一步来进行反击踢。在实战比赛中，对手的踢法可能多种多样且瞬间变化。因此，需要经过反复训练，以便根据情况能够本能地进行有效的反击踢。反击踢分为基于转身的反击踢、基于前脚的反击踢和基于后滑步的反击踢。

(1) 转身反击踢

当对手攻击你身体的正面时，你可以进行活用转身的反击踢。这种典型的反击踢是后踢或后旋踢与转身的组合。由于这个技术结合了转身的动作，你可以通过应用它来获得额外的分数。由于这个反击踢的本质是基于转身的，你只能凭直觉在对手开始攻击你的那一刻准确地踢中对手。此外，由于这种踢法是基于转身的，你有可能在进行反击后让对手反击你。因此，你应该准备快速行动的后续策略，以便采取合适的姿势。

反击后踢

你可以通过一只脚着地或两只脚跳跃来进行反击后踢。在做这个踢法时，你需要蜷缩上身，将膝盖弯曲到一定程度，并迅速伸展腿部。需要注意的是，你不应将对手当前的距离作为一般的目标点。相反，要考虑对手为了攻击你而移动的距离，将你的位置前方约90厘米到1米的位置作为一般的目标点。具体来说，你应该考虑对手试图对你发起攻击时的动态，将踢击点定位在你位置前方约90厘米到1米处的对手躯干或头部。例如，当你计划对对手躯干进行反击后踢时，你需要预判对手躯干的距离，这个距离将位于对手攻击你时你位置前方约90厘米到1米的位置。在反击后踢的训练中，辅助者应佩戴躯干保护器或使用一个方形靶标。只有当辅助者能够以实际练习中的速度做指定的攻击踢时，才能获得有效的训练效果。

在对手在反向姿势下做并步横踢时，进行反击后踢(原地)的连续动作

在对手在反向姿势下做并步横踢时，进行反击后踢(跳跃)的连续动作

在对手在同向姿势下做后脚横踢时，进行反击后踢(原地)的连续动作

在对手在同向姿势下做后脚横踢时，进行反击后踢(跳跃)的连续动作

反击后旋踢

反击后旋踢通过将身体和腰部向后以360度的角度转动，以前脚为轴心，可以让你用后脚踢击对手的头部。与后踢类似，反击后旋踢的一般目标点设定在你站立点前约90厘米到1米的位置。用后脚进行反击后旋踢的最佳时机如下。当对手攻击你时，预判对手头部的移动轨迹。然后，将上身降低到一定程度，并凭直觉将后旋踢保持在对手头部的高度，这个位置将位于你前方约90厘米到1米的位置。当你训练反击后旋踢时，可以通过踢标靶或辅助者的手进行练习。例如，辅助者将靶标或手放在肩膀上，并以实际练习的速度进行指定的攻击踢。你需要在辅助者开始攻击的那一刹那，凭直觉将反击后旋踢准确地落在设定的目标点上。

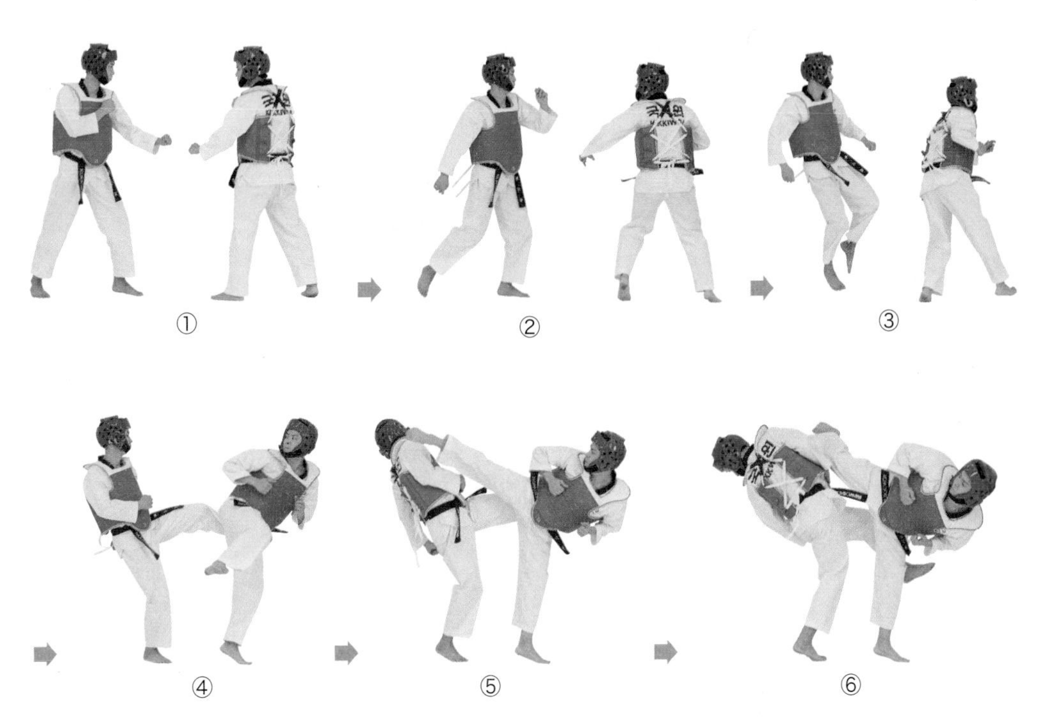

在对手在反向姿势下以并步横踢攻击时，做反击后旋踢的连续动作

(2) 前脚反击踢

前脚反击踢是一种在对手攻击你的身体前部或侧部时，利用前脚迅速反击对手的躯干或头部的技术。基于前脚的典型反击踢包括反击横踢和反击下劈。由于你需要用前脚进行反击，所以你应该注意抓住反击的最佳时机，并通过上身的移动控制与对手的距离。此外，由于使用前脚，这个技术使你很难保持平衡。如果失去平衡，对手很可能连续攻击你。因此，你应该通过使用支撑脚的前脚掌和将支撑脚的后脚掌稍微抬起一定程度，避免臀部向后移动来保持平衡。

原地前脚反击横踢

前脚原地反击横踢这个技术中，当对手在反向姿势中以并步推踢攻击你，或在同向姿势中以后脚推踢攻击你时，通过在原地将上身向后弯曲，用前脚对对手进行反击。当成功应用这个技术时，你可以得到一分。你还可以在实战比赛中，以格挡连续踢击的目的，对对手的第一踢应用这个技术。你可以通过原地站立应对对手的攻击，或者考虑对手的踢击距离后退一步来做这个技术。

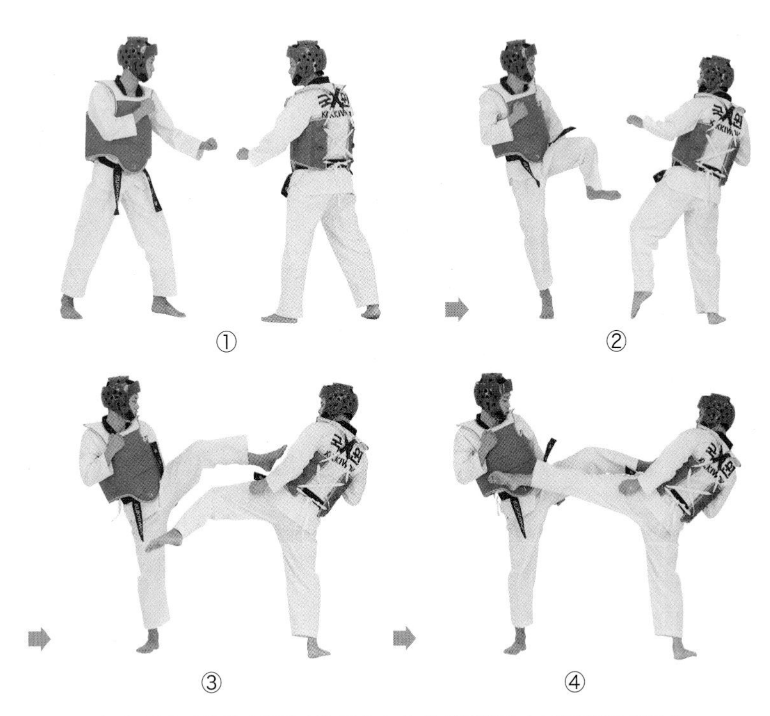

当对手在同向姿势中以并步推踢攻击时，做前脚原地反击横踢的连续动作

当对手在同向姿势中以后脚推踢攻击时，做前脚原地反击横踢的连续动作

前脚高位反击横踢

前脚高位反击横踢这个技术中，当对手在反向姿势中向你进行并步横踢时，通过在原地抬高前脚的膝盖，使你能够对对手的头部进行反击。进行前脚反击横踢的最佳时机如下：当对手移动肩膀准备进行并步横踢时，预判对手头部的运动轨迹。然后，在原地使用前脚进行横踢，踢到对手头部的高度。此时，将身体的重心放在后脚上，适度向后弯曲上身，这将有助于你顺利地进行踢击。

①　②　③　④　⑤

当对手在反向姿势中进行并步横踢时，进行前脚高位反击横踢的连续动作

拉前脚反击横踢

拉前脚反击横踢这个技术中，当对手在反向姿势中用并步横踢、并步下劈、或并步推踢攻击你时，通过将前脚向后拖动，使你能够对对手进行反击横踢。做拉前脚反击横踢的方法如下：首先，将你的前脚向7点钟方向拖动，将前脚远离对手并躲避对手的踢击。当对手用于踢击的腿离开地面时，转动你的腰部和骨盆，进行横踢。为了有效地做这些动作，你需要平稳地移动支撑脚的前脚掌。在拉前脚反击横踢的训练中，辅助者应以与实际实战比赛相同的速度做指定的进攻踢击，无论是短距离还是长距离。作为一名反击者，你应该通过考虑对手攻击所需的距离，培养将前脚向后拖动以躲避对手攻击的能力。

当对手在反向姿势中进行并步横踢时，进行拉前脚反击横踢的连续动作

反击下劈

当对手在反向姿势中以横踢攻击你的侧身时，你可以通过稍微抬起前腿的膝盖在原地进行反击下劈，瞄准对手的头部。与进行前脚高位反击横踢一样，你应该考虑对手头部的移动来确定反击踢的目标点。在对手对你进行横踢的确切时刻，你可以抓住最佳时机抬起膝盖，以下劈攻击对手的头部。在进行反击下劈时，你应该注意舒展地踢出，而不是用力过猛。由于你在实战准备姿势中向斜对角线方向扭曲身体，抬起的膝盖也会呈斜对角。

在这种情况下，如果你过于用力地进行反击下劈，你的踢腿会形成过大的弧线，从而影响你准确地踢击对手。因此，建议在准确的时机以轻盈的方式将反击下劈踢向目标点，而不是用力过猛。

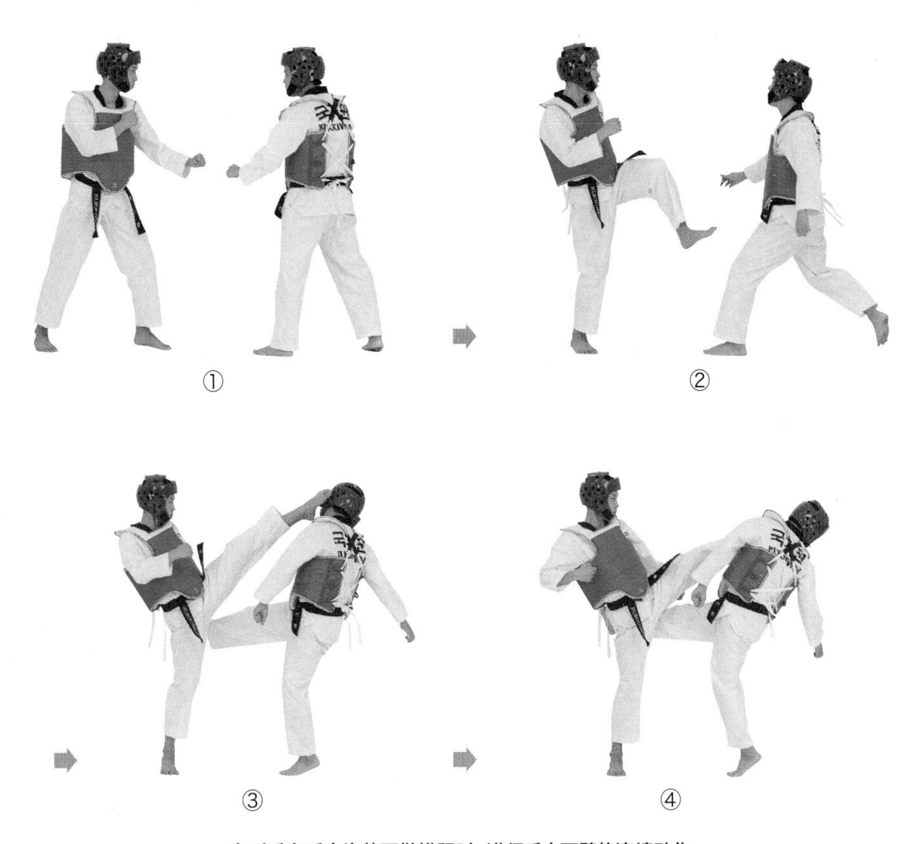

在对手在反向姿势下做横踢时，进行反击下劈的连续动作

(3) 后滑步反击踢

活用后滑步的反击踢技术使你能够通过采用各种后退步法来闪避对手的攻击, 并立即反击对手的躯干或头部。这个技术要求你在对手攻击时做后滑步以进行反击。因此, 你应该培养控制距离的能力, 以便闪避对手的攻击并有效地反击对手。此外, 如果你发现难以立即进行反击踢以应对对手的攻击, 你可以通过后滑步来闪避对手的攻击, 并进行反击, 从而更有效地得分。

反击横踢

当对手在反向姿势中以后脚攻击你的侧身或头部时, 你可以做双脚后滑步或后脚后滑步来躲避攻击, 并向对手的躯干做反击横踢。反击横踢是应用步法的最基本的反击踢技术。当对手攻击你时, 你甚至可以原地进行反击踢而不是后退。为了有效地进行反击踢, 你应该凭直觉移动身体来躲避对手的攻击, 并利用后脚后滑步在地面上产生的推力。也就是说, 你应该保持一个适当的距离, 以便立即躲避对手的攻击并使用横踢对对手进行反击。同时, 你应该利用推力快速而准确地进行横踢。

当对手在反向姿势中做横踢时，做双脚后滑步和反击横踢的连续动作

反击双飞踢

当对手在反向姿势中向你进行并步横踢、并步下劈、并步推踢攻击，或者在同向姿势中以后脚横踢和换势及并步横踢从前方攻击你时，你可以做双脚后滑步或后脚后滑步，通过跳跃将身体抬起，并通过在空中交替移动双腿做横踢。你可以按照以下方式做反击双飞踢：首先，做后滑步以躲避对手的攻击。当对手用于踢击的腿着地时，以你的前脚为轴，用后脚做横踢攻击对手的躯干部位。然后，用前脚跳起，将前腿的膝盖弯曲，并伸直以攻击对手的躯干或头部，就像做横踢一样。在反击双飞踢的训练中，辅助者应该以与实际实战比赛中一样的速度做指定的攻击动作。作为反击者，你需要做后滑步以躲避对手的攻击，然后进行双飞踢攻击。如果你后退的距离过大，就无法顺利做反击踢。因此，建议你后退约30到40厘米的距离，这样你就能站在一个对手用于踢击的腿只会轻轻划过你身体的位置。

当对手在反向姿势中做并步横踢时，做双脚后滑步和反击双飞踢的连续动作

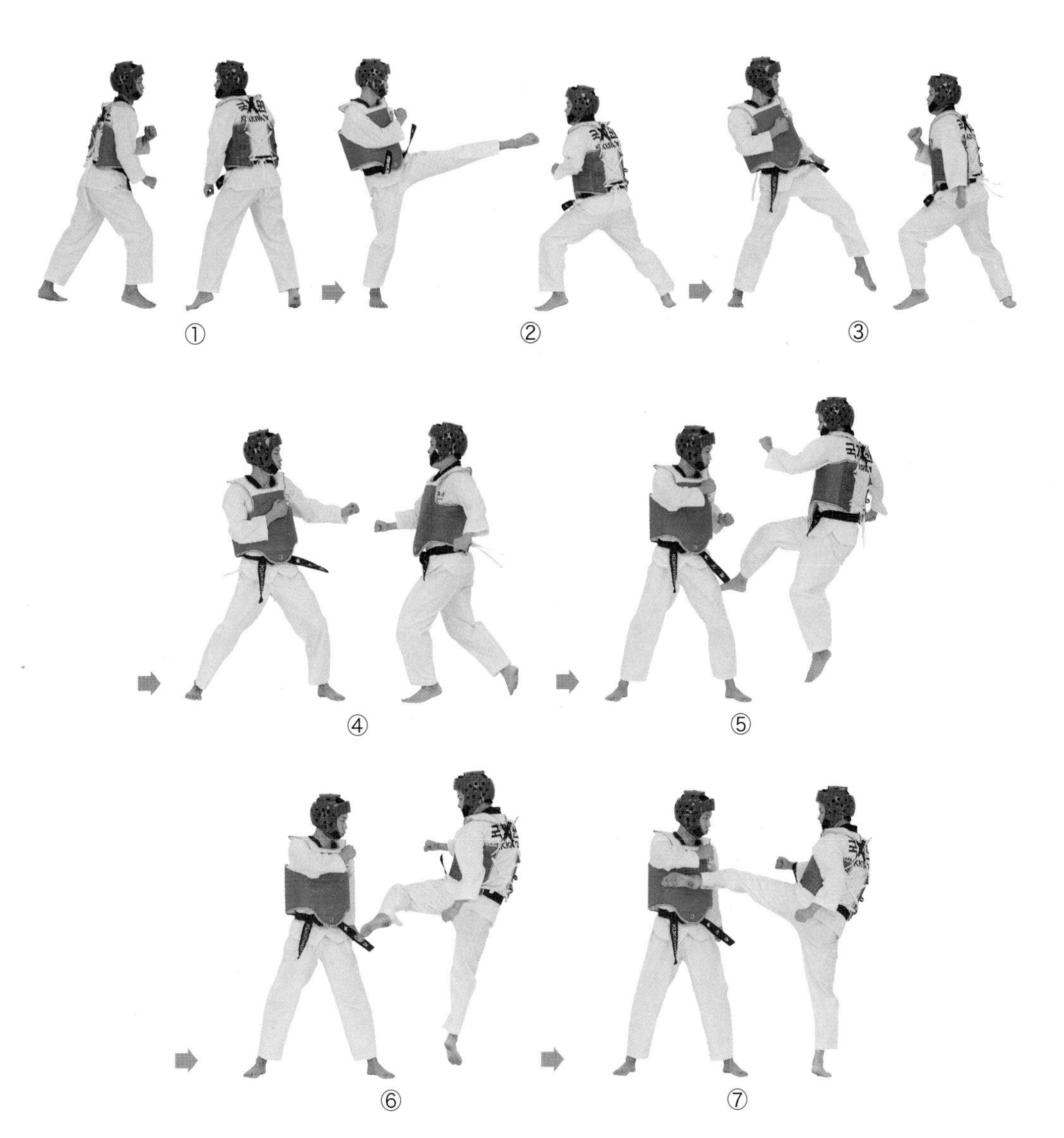

当对手在同向姿势中做横踢时，做双脚后滑步和反击双飞踢的连续动作

3 __ 冲拳反击战术

冲拳是一个让你能够用手来防御对手的踢击并同时进行前手冲拳或后手冲拳攻击的技术。需要注意的是，活用冲拳的反击策略是为了阻止对手的攻击而不是获得得分。因此，你应该有效地移动你的前脚，削弱对手的先发攻击。此外，你应该每天通过训练来学习如何通过冲拳来阻止对手的攻击，并将你的冲拳与前脚或后脚的短距离踢击相连。通过这些训练，你应该培养出分析情况并在正确的时机进行短程攻击的能力。

(1) 前手冲拳

当对手在反向姿势中使用并步横踢或拉前脚横踢攻击你时，你可以不后退地做前手冲拳。具体来说，将你的前脚向10到11点钟方向前移约10到20厘米，并用后手格挡对手的踢击。同时，用前手冲拳攻击对手。前手冲拳可能会使对手用类似并步下劈的方式攻击你的头部。因此，在做前手冲拳之前，你需要根据情况做出适当的判断。

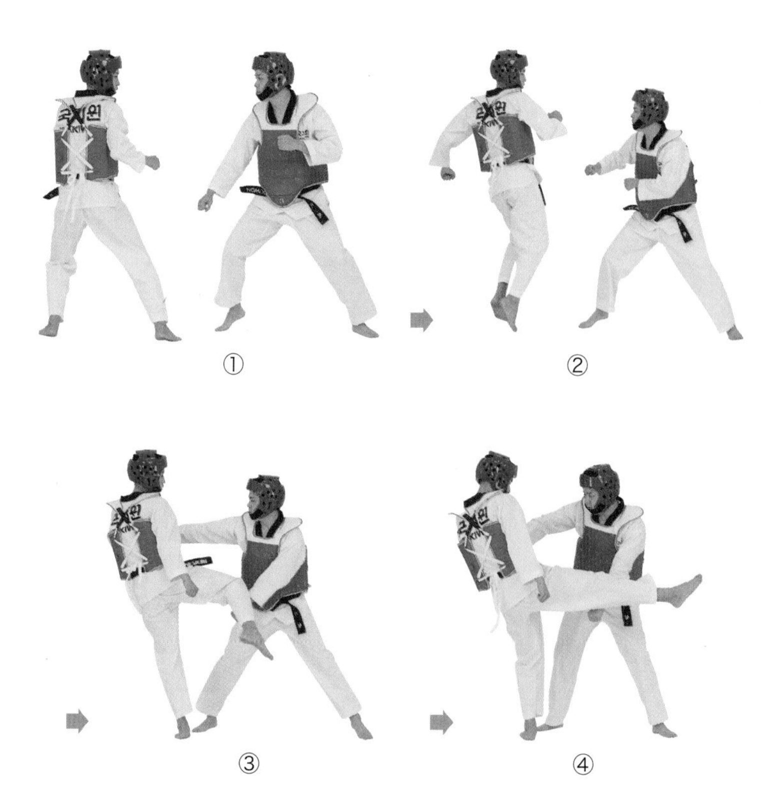

当对手在反向姿势中做并步横踢时，做前手冲拳的连续动作

(2) 后手冲拳

当对手在反向姿势中使用后脚横踢攻击你的侧面时，你可以做后手冲拳。具体来说，将你的前脚朝向对手移动，并防御对手的踢击。同时，利用腰部的转动力用后拳攻击对手的躯干。当对手在反向姿势中进行后脚双飞踢，或者在同向姿势中进行前脚双飞踢时，这个技术也可以让你通过一次动作获得得分或者阻止对手的动作。然而，就像前手冲拳一样，这个技术会给对手提供使用后脚短距离下劈攻击你头部的机会。因此，在应用这个技术之前，你应该根据情况做出适当的判断。

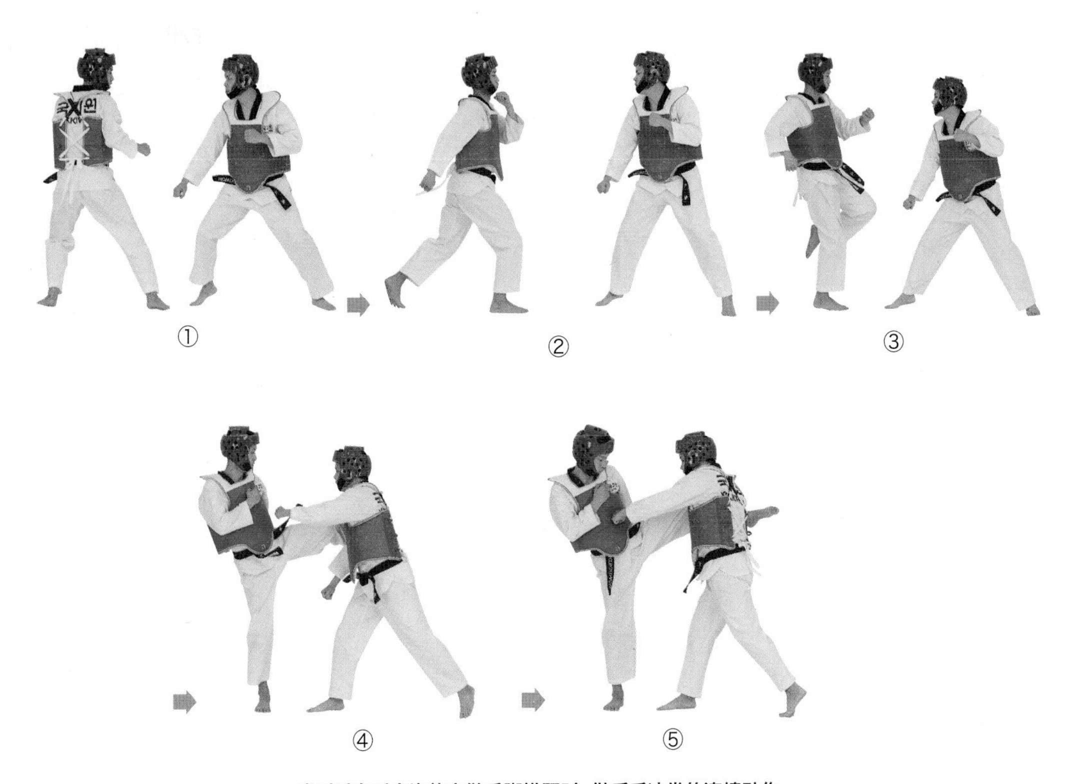

当对手在反向姿势中做后脚横踢时，做后手冲拳的连续动作

参考文献

国技院 (1987). 国技院跆拳道教本. Samhun出版社.

国技院 (2005). 跆拳道教本. Osung.

国技院 (2008). 跆拳道术语设置的研究.

国技院 (2010). 跆拳道技术词汇.

国技院 (2013). 跆拳道实战教本的开发.

国技院 (2014). 跆拳道实战教本的内容开发.

国技院 (2014). 世界跆拳道学院实践教练培训教育内容的开发: 实战和护身教本.

国技院 (2015). 关于跆拳道源技术开发的第二阶段研究: 实战指南.

国技院 (2016). 跆拳道实战和护身教本.

国技院 (2017). 跆拳道护身教本.

国技院 (2018). 跆拳道教本编写的专家研讨会和在线调查研究.

国技院 (2019). 跆拳道词汇表.

国技院 (2020). 跆拳道教本编写研究.

国技院 (2020). 跆拳道护身术.

国技院 (2021). 跆拳道教本设计研究.

跆拳道教本第四卷: 实战

第一版印刷	2023年11月30日	
编辑委员长	李銅燮(国技院院长)	
总监	朴鍾範(国技院)	
作者	梁大承(嘉泉大学)	金玉成(国技院)
专门委员	姜元植(国技院)	李奎鉉(国技院)
	郭基玉(国技院)	李鍾寬(国技院)
	李高範(国技院)	楊鎭芳(大韩跆拳道协会)
	安容奎(韩国体育大学)	丁局鉉(韩国体育大学)
	許建植(世界武艺大师委员会)	
项目经理	李美蓮(国技院)	
验收	方仁周(韩国体育大学)	崔恩实(宁波韩留邦教育科技有限公司)
	南相爽(国技院)	

发行单位	国技院
地址	韩国首尔市江南区德黑兰路7街32号, 邮编06130
电话	+82-2-3469-0185
传真	+82-2-3469-0189
网站	research.kukkiwon.or.kr

编辑-印刷	Myungjin C&P Co.公司
地址	韩国首尔市永登浦区京仁路82街3-4号, CenterPlus大厦616室
电话	+82-2-2164-3000
传真	+82-2-2164-3010
ISBN	979-11-91659-18-4 (94690)